OXFORD LIBRARY OF GERMAN TEXTS

Knulp

Drei Geschichten aus dem Leben Knulps

von

Hermann Hesse

EDITED WITH

INTRODUCTION, EXERCISES, NOTES,

AND VOCABULARY

By

WILLIAM DIAMOND

and

CHRISTEL B. SCHOMAKER

UNIVERSITY OF CALIFORNIA AT LOS ANGELES

1932

OXFORD UNIVERSITY PRESS NEW YORK

Printed in Germany
By Spamersche Buchdruckerei in Leipzig

To

MARTIN SCHÜTZE

Teacher — Scholar — Friend

CONTENTS

PREFACE

Teachers of German who appreciate good literature and enjoy teaching it will no doubt welcome a school edition of this literary masterpiece by one of Germany's leading contemporary authors which is thoroughly German in content, spirit, and background, vital and interesting in subject matter, simple and beautiful in style, natural and practical in vocabulary, and intensely human in appeal. There is hardly another little volume in modern German literature of such genuine literary qualities and at the same time so peculiarly adapted for schoolroom use as Hermann Hesse's inimitable *Knulp*, unanimously acknowledged "eine wahre Perle der Erzählungskunst."

Knulp should prove suitable reading after the essentials of grammar have been largely covered. Broadly speaking, it should fit into the second year of the high school and the second semester of a five-hour college course. The introduction is intended to acquaint the student with the essential facts concerning the author and his works, to convey an idea of their importance, and to encourage further acquaintance with both. The *Fragen*, based directly on the text, may help to stimulate oral drill and discussion in class. They are simple and direct and aimed to bring out the content of the text. In the case of the sentences for translation, also based directly on the text, special care has been taken to make them natural and really translatable. They are intended to emphasize words in common use and thus aid the student in increasing his active German vocabulary.

The vocabulary is complete; only a few most obviously common words have been omitted. It includes, moreover, under the proper headings the translation of idiomatic expressions, as well as such information as the student may need for the understanding of the text. While the inclusion of notes and idioms makes the vocabulary seem larger than it actually is—especially because the same idiom is often translated under two different key-words—experience and observation have proved such an arrangement to be more convenient for the student and pedagogically more effective. For obvious pedagogical reasons a few minor omissions have been made from the text.

We gratefully acknowledge the warm interest and generous help, on this as well as on previous occasions, of our colleagues at the University of California at Los Angeles, particularly of Dr. Frank H. Reinsch and Miss Mildred J. Weinsveig, who have not only offered valuable suggestions, but have also aided much in the reading of the manuscript and proofs. We also wish to express our sincere thanks to Professor Eduard Prokosch of Yale University for his enthusiastic encouragement and to the author, Hermann Hesse, for his kindness in granting the sole and exclusive right to publish *Knulp* in a school edition.

W. D.
C. B. S.

University of California at Los Angeles,
    January 10, 1932.

INTRODUCTION

Hermann Hesse (1877—) is one of the three foremost contemporary German novelists. Probably no other living author has given a better account of himself, his spiritual struggles, his philosophy of life. All his writings are fragments of one great confession, manifestations of one continuous attempt to find himself. More than any contemporary German writer Hesse occupies himself with the old and ever new question: What constitutes human happiness? What is the meaning of the restless longing in man which agitates his soul and allows him no peace?

In his first great novel, *Peter Camenzind* (1904), the hero had a hard struggle to find his path through life. It led him through misery and bitterness of soul. He was often forced to his knees and wished to give up the struggle. But he always rose again. As he tells us of his joys and sorrows, we are deeply moved because we feel that he has lived through all, and that he represents our own longing and striving. We realize that not merely one individual tells us here of his life, experiences, and thoughts, but that humanity, rooted in love and nobility of soul, speaks to us.

Unterm Rad (1906) is directed against a mechanical system of education bent on crushing every sign of individuality and independence in the pupil. Largely autobiographical, like most of Hesse's works, it relates the author's own school experiences. "Our teachers," Hesse tells us in his *Kurzgefaßter Lebenslauf* (1925), "taught us, to be sure, that the world had always been ruled and guided and changed by those people who set themselves their own laws and had accordingly broken with the traditional commandments, and also taught us that these people were to be respected. But this was as much a lie as all the rest of the instruction. For if one of us ever dared, whether with

good or bad intentions to protest against any commandment
whatsoever, or even against a foolish habit or custom, he was
neither respected nor held up as a worthy example, but instead,
punished, scorned, and crushed by the cowardly arrogance of
the teachers."

The volumes of short stories, *Diesseits* (1907), *Nachbarn* (1908),
Umwege (1912), present no large pictures of life, but idyllic scenes,
individuals, odd characters of the author's home town in Swabia.
Some of these stories rank with the best in German literature.

In the novel, *Gertrud* (1910), the author expresses his belief
that there is nothing nobler and more satisfying than love, and
that one should accept his fate with resignation and live his days
philosophically, whatever suffering and difficulties one may
have had. In spite of misfortune the composer Kuhn arrives at
a harmonious conception of life. Though crippled in body and
thwarted in love he does not despair. It is his lot to coin his
most permanent values from his struggles and his suffering.
They intensify his inner life. He finally attains the realization
that "pain and joy come from the same source and are move-
ments of the same power and measures of the same music, each
beautiful and necessary." Every word he speaks carries with it
the conviction of having been lived and experienced. It is not
difficult to recognize behind the mask the author himself who
always seeks and finds in the events of the objective world sym-
bols for his inmost thoughts and feelings.

In *Roßhalde* (1914) the hero is again an artist, this time a
painter. Through no fault of his own, his wife gradually becomes estranged from him. The older son sides with her, and
for the love of the younger both parents vie. The child dies, and
the parents who have once loved one another and have been
united in children separate to wander different paths. The
father leaves for India. Fate has decreed that he should not
carry over anything from his previous life. There remains for
the lonely soul the acceptance of his fate in humility, love, and
resignation. He still has his work.

The year 1914 came, and the World War. Hesse, who had
himself suffered the world's discord within his soul and had

come to the realization that only unselfish love could bridge it,
now stood aghast at the sudden war enthusiasm and the rising
tide of hatred of the nations. "What civilization must ours be,"
he asked, "where this is possible?" Naturally he did not and
could not share the general enthusiasm for the Great War, and
when he read articles and declarations by poets and professors,
wherein they discovered great blessings of the war, he felt deeply
disappointed. One day in his misery he publicly regretted the
fact that even the so-called educated people should lend themselves so readily to preach hatred, to disseminate lies, and to
approve the appalling tragedy. As a result he was declared a
traitor in the press of his native land, his friends forsook him,
and he was literally hounded out of the country. This sad
experience brought about a second spiritual crisis within him.
Hesse, the poet of nature, became now the stern judge and
prophet of civilization.

Demian (1919), the first manifestation of the new spirit, op-
poses the futility of many of the prevalent ideals, and the sham
of many beliefs, no longer in harmony with conditions. In
Peter Camenzind the author had given expression to his enthusiasm for nature and his longing to describe the idyllic scenes
of his early youth, all of which was characteristic of that day.
But the generation that had experienced the war could no
longer look back to its youth as a lost paradise and live in its
recollection in later years. *Demian*, accordingly, is representative
of the searching, struggling, fermenting new spirit and in-
augurates a new epoch in the author's work and philosophy of
life.

In *Siddhartha* (1920) Hesse's new *Weltanschauung* is more fully
and more clearly developed. This little book is full of wisdom
and written in a beautiful poetic prose that will not easily find
its equal in any literature.

Der Steppenwolf (1927) has caused intense discussion through-
out the reading world. It is perhaps the severest indictment of
our present cultureless, mechanical age written anywhere. The
main theme of the novel reminds one somewhat of Robert Louis
Stevenson's *Dr. Jekyll and Mr. Hyde*. Harry Haller, the hero,

finds within himself human qualities, that is, a world of thoughts, emotions, and culture, but also wolfish impulses, that is, a dark world of instincts, savagery, and cruelty. In this book the hero no longer finds nature only in the country, in the hills, valleys, and forests, in the peasants and small town people, but also in the pleasure world of the large cities, in the dance halls and bars, in the hearts of cabaret girls.

Other important works of Hesse are: the volumes of stories, sketches and impressions, *Klingsors letzter Sommer* (1920), *Märchen* (1920), *Kurgast* (1925), *Bilderbuch* (1926), *Nürnberger Reise* (1927), the volumes of poems, *Musik des Einsamen* (1915), *Gedichte* (1922), and *Trost der Nacht* (1929), and a collection of essays entitled *Betrachtungen* (1928). This volume is of utmost importance to the student of Hesse as well as of modern thought in general.

Hesse's latest book, *Narziß und Goldmund* (1930), is his deepest and maturest work so far. Narziss, the learned monk, the thinker, represents the spiritual man; Goldmund, the restless wanderer, the artist, is representative of the more worldly individual, one who loves life and pleasure and follows more readily his natural impulses. In the conversations between the two life's profoundest problems are discussed with the utmost simplicity and frankness.

Hesse's whole life has been a continuous struggle to gain a clear understanding of his inner soul. All his works are characterized by an absolute honesty of purpose, by an active love and readiness to suffer. They teach above all else: *Be yourself.* The individual who lives in accordance with the dictates of his real inner life leads, ethically speaking, the only true, the only possible existence. In *Zarathustras Wiederkehr* (1918), an appeal to the German youth, and indirectly a defense of the new republic, we read: "Much Zarathustra has seen, much he has suffered . . . but one thing he has learned, but one thing constitutes his wisdom, but one thing is his pride. He has learned to be Zarathustra." The individual is master of his destiny in so far as it affects his inner life, and the inner life alone is worthy of consideration. The principle *Amor vincit omnia* also underlies Hesse's writings. "Love seems to me to be above all things of

prime importance. To look through the world, to explain it, to ridicule it may be the business of great thinkers. But my sole concern is to be able to love the world, not to ridicule it, to be able to view it, myself, and all creatures with love, admiration, and respect." We cannot but feel inspired by his unfailing courage, by his willingness ever to begin anew and take upon himself the suffering of his age. "We receive all Hesse's works," Hans Martin Elster wrote in 1927, "with loving and grateful hearts because they affect us human beings so deeply, because they penetrate into our suffering, love, and life, because they help us to become real and better men, because they teach us to love life and humanity. With Hesse's writings grow also the beauty and the depth, the fullness and the maturity of humanity. They are a noble service to humanity and, what is most precious of all, they are a help, a guidance, a blessing to every individual human being."

Knulp (1914) is perhaps the most characteristic of all Hesse's works. It has already become a favorite and outstanding classic of modern German literature. Few other modern German stories have so thoroughly and so universally endeared themselves to the hearts of the German people as have the *Drei Geschichten aus dem Leben Knulps.* The little volume exemplifies much of the author's philosophy of life and manifests particularly his love for nature and the natural, unsophisticated impulses in man. His own innate *Wanderlust* finds here fullest expression and a more charming, sympathetic, and touching vagabond than Knulp could hardly be imagined. As early as 1907 Hesse wrote in *Lindenblüte:* "I look upon each and every one of you traveling journeymen, you happy-go-lucky fellows, with respect and admiration and envy as upon a king, even though I have to give a few pennies to each one of you. Each one of you, even the humblest among you, has an invisible crown upon his head; each one of you is a happy conqueror. I, too, have once been like you and I know the feeling of being a wanderer and a vagabond. In spite of homesickness and want and uncertainty it is a sweet feeling . . . I don't mean to imply that I have now become a philistine. Indeed not! I am perhaps more carefree and unconventional than ever. As yet no understanding has come to pass between myself and the so-called sensible people and their doings. Just as in the most tumultuous days of my youth I still hear the voice of life calling and reminding me, and I have no intention of becoming untrue to this voice within me." He never did become untrue to the voice within him, and the character of Knulp has become a classical example of this perennial longing to get away from the humdrum, conventional life of the "so-called sensible people and their doings."

Although a tramp in the ordinary sense of the word, Knulp is none the less a worthy, respectable, and even enviable character endowed with a peculiar charm and a high sense of honor. Poor and homeless, in loving, childlike simplicity and conciliating spirit, this immortal vagabond wanders, a song on his lips, among the "sensible," steady, industrious people, loved and welcomed by all because he brings them a breath of the freedom which they have forgotten. "Indeed," says his well-situated friend Rothfuss, "Knulp was right when he acted just in accordance with his character—and took each day as a holiday. One had to let him go his own way, and when he fared badly and needed care and a home, it was a pleasure and an honor to receive him. One even had to be grateful to him, for he did make the house bright and cheerful." And when he, mortally ill but still refusing to go to a hospital, is dying in the snowstorm, the assurance of God, in whose name he has wandered and whose brother and child he is, lulls him to sleep and death. "In my name you have wandered," the Lord tells him, "and ever and again aroused in the steady, industrious people a little longing for freedom. In my name you have committed follies and have been ridiculed; I myself have been ridiculed and loved in you. You are my child and my brother and a part of me, and you have enjoyed nothing, suffered nothing which I have not myself shared with you." In the delirious state preceding his death Knulp carries on a conversation with God which is so beautifully natural, so inexpressibly touching, and so paradoxically human that it would be difficult to find anything like it in the literature of the world.

Knulp

Der wahre Bettler ist
Doch einzig und allein der wahre König.

— **Lessing**
(*Nathan der Weise*)

Keinem Menschen gehorsam, abhängig nur von
Wetter und Jahreszeit, kein Ziel vor sich, kein Dach
über sich, nichts besitzend und allen Zufällen offen,
führen die Heimatlosen ihr kindliches und tapferes,
ihr ärmliches und starkes Leben ... Ein Vagabund
kann zart oder roh sein, kunstfertig oder tölpisch,
tapfer oder ängstlich, immer ist er im Herzen ein Kind,
immer lebt er am ersten Tage, vor Anfang aller
Weltgeschichte, immer wird sein Leben von wenigen
einfachen Trieben und Nöten geleitet.

— **Hermann Hesse**
(*Narziß und Goldmund*)

Vorfrühling

Anfang der neunziger Jahre mußte unser Freund Knulp
einmal mehrere Wochen im Spital liegen, und als er ent=
laſſen wurde, war es Mitte Februar und ſcheußliches Wetter,
ſo daß er ſchon nach wenigen Wandertagen wieder Fieber
ſpürte und auf ein Unterkommen bedacht ſein mußte. An 5
Freunden hat es ihm nie gefehlt, und er hätte faſt in jedem
Städtchen der Gegend leicht eine freundliche Aufnahme ge=
funden. Aber darin war er ſonderbar ſtolz, ſo ſehr, daß es
für eine Ehre gelten konnte, wenn er von einem Freund
etwas annahm. 10

Diesmal war es der Weißgerber Emil Rothfuß in Läch=
ſtetten, deſſen er ſich erinnerte und an deſſen ſchon verſchloſ=
ſener Haustür er abends bei Regen und Weſtwind anklopfte.
Der Gerber tat den Fenſterladen im Oberſtock ein wenig auf
und rief in die dunkle Gaſſe hinunter: „Wer iſt draußen? 15
Hat’s nicht auch Zeit, bis es wieder Tag iſt?“

Knulp, als er die Stimme des alten Freundes hörte, wurde
trotz aller Müdigkeit ſofort munter. Er erinnerte ſich an ein
Verschen, das er vor Jahren gemacht hatte, als er einmal
vier Wochen mit Emil Rothfuß zuſammen gewandert war, 20
und ſang alsbald am Hauſe hinauf:

> „Es ſitzt ein müder Wandrer
> In einer Reſtauration,
> Das iſt gewiß kein andrer
> Als der verlorne Sohn.“ 25

Der Gerber ſtieß den Laden heftig auf und beugte ſich weit
aus dem Fenſter.

„Knulp! Biſt du’s oder iſt’s ein Geiſt?“

„Ich bin's!" rief Knulp. „Du kannst aber auch über die
Stiege herunterkommen, oder muß es durchs Fenster sein?"

Mit froher Eile kam der Freund herab, tat die Haustür
auf und leuchtete dem Ankömmling mit der kleinen rauchen=
5 den Öllampe ins Gesicht, daß er blinzeln mußte.

„Jetzt aber herein mit dir!" rief er aufgeregt und zog den
Freund ins Haus. „Erzählen kannst du später. Es ist noch
was vom Nachtessen übrig, und ein Bett kriegst du auch.
Lieber Gott, bei dem Sauwetter! Ja, hast du denn auch gute
10 Stiefel, du?"

Knulp ließ ihn fragen und sich wundern, schlug auf der
Treppe sorgfältig die umgelitzten Hosenbeine herab und stieg
mit Sicherheit durch die Dämmerung empor, obwohl er das
Haus seit vier Jahren nimmer betreten hatte.

15   Im Gang oben, vor der Wohnstubentür, blieb er einen
Augenblick stehen und hielt den Gerber, der ihn eintreten hieß,
an der Hand zurück.

„Du", sagte er flüsternd, „gelt, du bist ja jetzt verheiratet?"

„Ja, freilich."

20   „Eben drum. — Weißt du, deine Frau kennt mich nicht;
es kann sein, sie hat keine Freude. Stören mag ich euch nicht."

„Ach was, stören!" lachte Rothfuß, tat die Tür weit auf
und drängte Knulp in die helle Stube. Da hing über einem
großen Eßtisch an drei Ketten die große Petroleumlampe, ein
25 leichter Tabakrauch schwebte in der Luft und drängte in dün=
nen Zügen nach dem heißen Zylinder hin, wo er hastig
emporwirbelte und verschwand. Auf dem Tisch lag eine Zei=
tung und eine Schweinsblase voll Rauchtabak, und von dem
kleinen schmalen Kanapee an der Querwand sprang mit hal=
30 ber und verlegener Munterkeit, als sei sie in einem Schlum=
mer gestört worden und wolle es nicht merken lassen, die
junge Hausfrau auf. Knulp blinzelte einen Augenblick wie
verwirrt am scharfen Licht, sah der Frau in die hellgrauen
Augen und gab ihr mit einem höflichen Kompliment die Hand.

„So, das ist sie", sagte der Meister lachend. „Und das ist
der Knulp, mein Freund Knulp, weißt du, von dem wir auch
schon gesprochen haben. Er ist natürlich unser Gast und kriegt
das Gesellenbett. Es steht ja doch leer. Aber zuerst trinken wir
einen Most miteinander, und der Knulp muß was zu essen 5
haben. Es war doch noch eine Leberwurst da, nicht?"

Die Meisterin lief hinaus, und Knulp sah ihr nach.

„Ein bißchen erschrocken ist sie doch", meinte er leise. Aber
Rothfuß wollte das nicht zugeben.

„Kinder habt ihr noch keine?" fragte Knulp. 10

Da kam sie schon wieder herein, brachte auf einem Zinnteller die Wurst und stellte das Brotbrett daneben, das in
seiner Mitte einen halben Laib Schwarzbrot trug, sorglich mit
dem Anschnitt nach unten gestellt, und um dessen Ründung
im Kreise die erhaben geschnitzte Inschrift lief: Gib uns heute 15
unser täglich Brot.

„Weißt du, Lis, was der Knulp mich gerade gefragt hat?"

„Laß doch!" wehrte dieser ab. Und er wandte sich lächelnd
an die Hausfrau: „Also, ich bin so frei, Frau Meisterin."

Aber Rothfuß ließ nicht nach. 20

„Ob wir denn keine Kinder haben, hat er gefragt."

„Ach was!" rief sie lachend und lief sogleich wieder davon.

„Ihr habt keine?" fragte Knulp, als sie draußen war.

„Nein, noch keine. Sie läßt sich Zeit, weißt du, und für
die ersten Jahre ist es ja besser. Aber greif zu, gelt, und laß 25
dir's schmecken!"

Nun brachte die Frau den grau und blauen, steingutenen
Mostkrug herein und stellte drei Gläser dazu auf, die sie alsbald vollschenkte. Sie machte es geschickt, Knulp sah ihr zu
und lächelte. 30

„Zum Wohl, alter Freund!" rief der Meister und streckte
Knulp sein Glas entgegen. Der war aber galant und rief:
„Zuerst die Damen. Ihr wertes Wohl, Frau Meisterin! Pro-
sit, Alter!"

Sie stießen an und tranken, und Rothfuß leuchtete vor Freude und blinzelte seiner Frau zu, ob sie auch bemerke, was sein Freund für fabelhafte Manieren habe.

Sie hatte es aber längst bemerkt.

"Siehst du", sagte sie, "der Herr Knulp ist höflicher als du, der weiß, was der Brauch ist."

"O bitte", meinte der Gast, "das hält eben jeder so, wie er's gelernt hat. Was Manieren betrifft, da könnten Sie mich leicht in Verlegenheit bringen, Frau Meisterin. Und wie schön Sie serviert haben, wie im feinsten Hotel!"

"Ja, gelt", lachte der Meister, "das hat sie aber auch gelernt."

"So, wo denn? Ist Ihr Herr Vater Wirt?"

"Nein, der ist schon lang unterm Boden, ich hab' ihn kaum mehr gekannt. Aber ich habe ein paar Jahre lang im Ochsen serviert, wenn Sie den kennen."

"Im Ochsen? Der ist früher das feinste Gasthaus von Lächstetten gewesen", lobte Knulp.

"Das ist er auch noch. Gelt, Emil? Wir haben fast nur Handlungsreisende und Touristen im Logis gehabt."

"Ich glaub's, Frau Meisterin. Da haben Sie's sicher gut gehabt und was Schönes verdient! Aber ein eigener Haushalt ist doch besser, gelt?"

Langsam und genießerisch strich er die weiche Wurst auf sein Brot, legte die reinlich abgezogene Haut auf den Rand des Tellers und nahm zuweilen einen Schluck von dem guten gelben Apfelmost. Der Meister sah mit Behagen und Respekt ihm zu, wie er mit den schlanken feinen Händen das Notwendige so sauber und spielend tat, und auch die Hausfrau nahm es mit Gefallen wahr.

"Extra gut aussehen tust du aber nicht", begann im weiteren Emil Rothfuß zu tadeln, und jetzt mußte Knulp bekennen, daß es ihm neuestens schlecht gegangen und daß er im Krankenhaus gewesen sei. Doch verschwieg er alles Pein-

liche. Als ihn darauf sein Freund fragte, was er denn jetzt
anzufangen denke, und ihm mit Herzlichkeit Tisch und Lager
für jede Dauer anbot, da war dies zwar genau das, was
Knulp erwartet und womit er gerechnet hatte, aber er wich
wie in einer Anwandlung von Schüchternheit aus, dankte 5
flüchtig und verschob das Besprechen dieser Dinge bis morgen.

„Über das können wir morgen oder übermorgen auch
noch reden“, meinte er nachlässig, „die Tage gehen ja gottlob
nicht aus, und eine kleine Weile bleib’ ich auf alle Fälle hier.“

Er machte nicht gern Pläne oder Versprechungen auf lange 10
Zeit. Wenn er nicht die freie Verfügung über den kommen=
den Tag in der Tasche hatte, fühlte er sich nicht wohl.

„Falls ich wirklich eine Zeitlang hierbleiben sollte“, begann
er dann wieder, „so mußt du mich als deinen Gesellen an=
melden.“ 15

„Warum nicht gar!“ lachte der Meister auf. „Du und
mein Geselle! Außerdem bist du ja gar kein Weißgerber.“

„Tut nichts, verstehst du denn nicht? Es liegt mir gar
nichts am Gerben, es soll zwar ein schönes Handwerk sein,
und zum Arbeiten habe ich kein Talent. Aber meinem Wan= 20
derbüchlein wird es gut tun, weißt du.“

„Darf ich’s einmal sehen, dein Büchlein?“

Knulp griff in die Brusttasche seines fast neuen Anzuges
und zog das Ding heraus, das reinlich in einem Wachstuch=
futteral steckte. 25

Der Gerbermeister sah es an und lachte: „Immer tadel=
los! Man meint, du seiest erst gestern früh von der Mutter
fortgereist.“

Dann studierte er die Einträge und Stempel und schüttelte
in tiefer Bewunderung den Kopf: „Nein, ist das eine Ord= 30
nung! Bei dir muß halt alles nobel sein.“

Das Wanderbüchlein so in Ordnung zu halten, war aller=
dings eine von Knulps Liebhabereien. Es stellte in seiner
Tadellosigkeit eine anmutige Fiktion dar.

„Aber jetzt wäret ihr schon lang im Bett, wenn ich nicht gekommen wäre", rief Knulp, indem er seine Papiere wieder an sich nahm. Er stand auf und machte der Hausfrau ein Kompliment.

5 „Komm, Rothfuß, und zeig' mir, wo mein Bett steht."

Der Meister begleitete ihn mit Licht die schmale Stiege zum Dachstock hinauf und in die Gesellenkammer. Da stand eine leere eiserne Bettstatt an der Wand und daneben eine hölzerne, die mit Bettzeug versehen war.

10 „Willst eine Bettflasche?" fragte der Hauswirt väterlich.

„Das fehlt gerade noch", lachte Knulp. „Der Herr Meister, der braucht freilich keine, wenn er so ein hübsches kleines Frauelein hat."

„Ja, siehst du", meinte Rothfuß ganz eifrig, „da steigst du 15 jetzt in dein kaltes Gesellenbett in der Dachkammer, und manchmal noch in ein schlechteres, und manchmal hast du gar keins und mußt im Heu schlafen. Aber unsereiner hat Haus und Geschäft und eine nette Frau. Schau, du könntest doch schon lang Meister sein und weiter als ich, wenn du 20 bloß gewollt hättest."

Knulp hatte unterdessen in aller Eile die Kleider abgelegt und sich fröstelnd in das kühle Bettzeug verkrochen.

„Weißt du noch viel?" fragte er. „Ich liege gut und kann zuhören."

25 „Es ist mir Ernst gewesen, Knulp."

„Mir auch, Rothfuß. Du mußt aber nicht meinen, das Heiraten sei eine Erfindung von dir. Also gut Nacht auch!"

Den anderen Tag blieb Knulp im Bette liegen. Er fühlte 30 sich noch etwas schwach, und das Wetter war so, daß er doch das Haus kaum verlassen hätte. Den Gerber, der sich vormittags bei ihm einfand, bat er, er möge ihn ruhig liegenlassen und ihm nur am Mittag einen Teller Suppe heraufbringen.

So lag er in der dämmerigen Dachkammer den ganzen
Tag still und zufrieden, fühlte Kälte und Wanderbeschwerden
entschwinden und gab sich mit Lust dem Wohlgefühl war=
mer Geborgenheit hin. Er hörte dem fleißigen Klopfen des
Regens auf dem Dache zu und dem Wind, der unruhig, 5
weich und föhnig in launischen Stößen ging. Dazwischen
schlief er halbe Stunden oder las, solange es licht genug
war.

Um die Mittagszeit brachte der Gerber Suppe und Brot
herauf. Er trat leise auf und sprach in einem erschrockenen 10
Flüsterton, da er Knulp für krank hielt und selber seit der
Zeit seiner Kinderkrankheiten niemals am hellen Tage im Bett
gelegen war. Knulp, der sich sehr wohl fühlte, gab sich keine
Mühe mit Erklärungen und versicherte nur, er werde mor=
gen wieder aufstehen und gesund sein. 15

Im späteren Nachmittag klopfte es an der Kammertür,
und da Knulp im Halbschlummer lag und keine Antwort
gab, trat die Meistersfrau vorsichtig herein und stellte statt
des leeren Suppentellers eine Schale Milchkaffee auf die Sta=
belle am Bett. 20

Knulp, der sie wohl hatte hereinkommen hören, blieb aus
Müdigkeit oder Laune mit geschlossenen Augen liegen und
ließ nichts davon merken, daß er wach sei. Die Meisterin,
mit dem leeren Teller in der Hand, warf einen Blick auf den
Schläfer, dessen Kopf auf dem halb vom blaugewürfelten 25
Hemdärmel bedeckten Arme lag. Und da ihr die Feinheit des
dunklen Haares und die fast kindliche Schönheit des sorglosen
Gesichts auffiel, blieb sie eine Weile stehen und sah sich den
hübschen Burschen an, von dem ihr der Meister viel Wunder=
liches erzählt hatte. Sie sah über den geschlossenen Augen die 30
dichten Brauen auf der zarten, hellen Stirn und die schmalen,
doch braunen Wangen, den feinen, hellroten Mund und den
schlanken Hals, und alles gefiel ihr wohl, und sie dachte an
die Zeit, da sie als Kellnerin im Ochsen je und je in Früh=

lingslaunen sich von einem solchen fremden, hübschen Buben
hatte liebhaben lassen.

Indem sie sich, träumerisch und leicht erregt, ein wenig
vorbeugte, um das ganze Gesicht zu sehen, glitt ihr der zin=
5 nerne Löffel vom Teller und fiel auf den Boden, worüber sie
in der Stille und befangenen Heimlichkeit des Ortes heftig
erschrak.

Nun schlug Knulp die Augen auf, langsam und un=
wissend, als habe er tief geschlafen. Er drehte den Kopf her=
10 über, hielt einen Augenblick die Hand über die Augen und
sagte mit Lächeln: „Eia, da ist ja die Frau Meisterin! Und
hat mir einen Kaffee gebracht! Ein guter, warmer Kaffee,
das ist gerade das, wovon ich in diesem Augenblick geträumt
habe. Also schönen Dank, Frau Rothfuß! Was ist es denn
15 auch für Zeit?“

„Vier“, sagte sie schnell. „Jetzt trinken Sie nur, solang er
warm ist, nachher hol’ ich das Geschirr dann wieder.“

Damit lief sie hinaus, als habe sie keine Minute übrig.
Knulp sah ihr nach und hörte zu, wie sie in Eile die Treppe
20 hinab verschwand. Er machte nachdenkliche Augen und schüt=
telte mehrmals den Kopf, dann stieß er einen leisen, vogel=
artigen Pfiff aus und wendete sich zu seinem Kaffee.

Eine Stunde nach dem Dunkelwerden aber wurde es ihm
langweilig, er fühlte sich wohl und prächtig ausgeruht und
25 hatte Lust, wieder ein wenig unter Leute zu kommen. Behag=
lich stand er auf und zog sich an, schlich im Finstern leise wie
ein Marder die Treppe hinab und schlüpfte unbemerkt aus
dem Hause. Der Wind blies noch immer schwer und feucht
aus Südwesten, aber es regnete nicht mehr, und am Himmel
30 standen große Flecken licht und klar.

Schnuppernd flanierte Knulp durch die abendlichen Gassen
und über den verödeten Marktplatz, stellte sich dann im
offenen Tor einer Hufschmiede auf, sah den Lehrlingen beim
Aufräumen zu, fing ein Gespräch mit den Gesellen an und

hielt die kühlen Hände über das verglühende Feuer der Esse.
Dabei fragte er obenhin nach manchen Bekannten in der
Stadt, erkundigte sich über Todesfälle und Heiraten und ließ
sich von dem Hufschmied für einen Kollegen ansehen, denn
es waren ihm die Sprachen und Erkennungszeichen aller 5
Handwerke geläufig.

Während dieser Zeit setzte die Frau Rothfuß ihre Abend=
suppe an, klimperte mit den Eisenringen am kleinen Herd
und schälte Kartoffeln, und als das getan war und die
Suppe sicher auf schwachem Feuer stand, ging sie mit der 10
Küchenlampe ins Wohnzimmer hinüber und stellte sich vor
dem Spiegel auf. Sie fand darin, was sie suchte: ein volles,
frischwangiges Gesicht mit bläulich=grauen Augen, und was
ihr am Haar zu bessern schien, brachte sie schnell mit ge=
schickten Fingern in Ordnung. Darauf strich sie die frisch= 15
gewaschenen Hände noch einmal an der Schürze ab, nahm
das Lämpchen zur Hand und stieg rasch ins Dach hinauf.

Sachte klopfte sie an die Tür der Gesellenkammer, und
nochmals etwas lauter, und da keine Antwort kam, stellte sie
die Leuchte an den Boden und machte mit beiden Händen 20
vorsichtig die Tür auf, daß sie nicht knarre. Auf den Zehen
ging sie hinein, tat einen Schritt und ertastete den Stuhl bei
der Bettstatt.

„Schlafen Sie?" fragte sie mit halber Stimme. Und noch
einmal: „Schlafen Sie? Ich will nur das Geschirr ab= 25
räumen."

Da alles ruhig blieb und nicht einmal ein Atemzug zu
hören war, streckte sie die Hand gegen das Bett hin aus, zog
sie aber in einem Gefühl von Unheimlichkeit wieder zurück
und lief nach der Lampe. Als sie nun die Kammer leer und 30
das Bett mit Sorgfalt zugerichtet, auch Kissen und Federdecke
tadellos aufgeschüttelt fand, lief sie verwirrt, zwischen Angst
und Enttäuschung, in ihre Küche zurück.

Eine halbe Stunde später, als der Gerber zum Nachtessen

heraufgekommen und der Tisch gedeckt war, fing die Frau
schon an, sich Gedanken zu machen, fand aber nicht den Mut,
dem Gerber von ihrem Besuch in der Dachkammer zu erzählen. Da ging unten das Tor, ein leichter Schritt klang
5 durch den gepflasterten Gang und die gebogene Stiege herauf, und Knulp stand da, nahm den hübschen braunen Filz
vom Kopf und wünschte guten Abend.

„Ja, wo kommst du denn her?" rief der Meister erstaunt.
„Ist krank und läuft dabei in der Nacht herum! Du kannst
10 dir ja den Tod holen."

„Ganz richtig", sagte Knulp. „Grüß Gott, Frau Rothfuß,
ich komme ja gerade recht. Ihre gute Suppe habe ich schon
vom Marktplatz her gerochen, die wird mir den Tod schon
vertreiben."

15 Man setzte sich zum Essen. Der Hausherr war gesprächig
und rühmte sich seiner Häuslichkeit und seines Meisterstandes.
Er neckte den Gast und redete ihm dann wieder ernstlich zu, er
solle doch das ewige Wandern und Nichtstun einmal auf-
geben. Knulp hörte zu und gab wenig Antwort, und die
20 Meisterin sagte kein Wort. Sie ärgerte sich über ihren Mann,
der ihr neben dem manierlichen und hübschen Knulp grob
erschien, und gab dem Gast ihre gute Meinung durch die
Aufmerksamkeit ihrer Bewirtung kund. Als es zehn Uhr
schlug, sagte Knulp gute Nacht und bat sich des Gerbers
25 Rasiermesser aus.

„Sauber bist du", rühmte Rothfuß, indem er das Messer
hergab. „Kaum kratzt's dich am Kinn, so muß der Bart herunter. Also gut' Nacht, und gute Besserung!"

Ehe Knulp in seine Kammer trat, lehnte er sich in das
30 kleine Fensterchen oben an der Bodentreppe, um noch einen
Augenblick nach Wetter und Nachbarschaft auszuschauen. Es
war beinahe windstill, und zwischen den Dächern stand ein
schwarzes Stück Himmel, in welchem schimmernde Sterne
brannten.

Eben wollte er den Kopf hereinziehen und das Fenster
schließen, da wurde ein kleines Fenster ihm gegenüber im
Nachbarhause plötzlich hell. Er sah eine kleine niedere Kammer, der seinen ganz ähnlich, durch deren Türe eine junge
Dienstmagd hereintrat, eine Kerze im messingnen Leuchter 5
in der Hand und in der Linken einen großen Wasserkrug, den
sie am Boden abstellte. Dann leuchtete sie mit der Kerze über
ihr schmales Mägdebett hin, das bescheiden und säuberlich
mit einer groben roten Wollendecke zum Schlafen einlud.
Sie stellte den Leuchter weg, man sah nicht wohin, und setzte 10
sich auf eine niedere grüngemalte Kofferkiste, wie alle Dienst-
mägde eine haben.

Knulp hatte sofort, als die unerwartete Szene drüben zu
spielen begann, sein eigenes Licht ausgeblasen, um nicht gesehen zu werden, und stand nun still und lauernd aus seiner 15
Luke gebeugt.

Die junge Magd drüben war von der Art, die ihm gefiel.
Sie war vielleicht achtzehn oder neunzehn Jahre, nicht eben
groß gewachsen, und hatte ein bräunliches gutes Gesicht mit
braunen Augen und dunklem dichtem Haar. Dies stille an- 20
genehme Gesicht sah gar nicht fröhlich aus, und die ganze
Person saß auf ihrer harten grünen Kiste ziemlich bekümmert
und traurig da, so daß Knulp, der die Welt und auch die
Mädchen kannte, sich wohl denken konnte, das junge Ding
sei noch nicht lange mit seiner Kiste in der Fremde und habe 25
Heimweh. Sie ließ die mageren braunen Hände im Schoß
ruhen und suchte einen flüchtigen Trost darin, vor dem
Schlafengehen noch eine Weile auf ihrem kleinen Eigentum
zu sitzen und an die heimatliche Wohnstube zu denken.

Ebenso regungslos wie sie in ihrer Kammer verharrte 30
Knulp in seinem Fensterloch und blickte mit wunderlicher
Spannung in das kleine fremde Menschenleben hinüber, das
so harmlos seinen hübschen Kummer im Kerzenlicht hütete
und an keinen Zuschauer dachte. Er sah die braunen, gut-

mütigen Augen bald unverborgen herüberdunkeln, bald wieder von langen Wimpern bedeckt, und auf den braunen,
kindlichen Wangen das rote Licht leise spielen, er sah den
mageren jungen Händen zu, wie sie müde waren und die
5 kleine letzte Arbeit des Entkleidens noch ein wenig hinaus-
schoben, während sie auf dem dunkelblauen baumwollenen
Kleide ruhten.

Endlich richtete das Jüngferlein mit einem Seufzer den
Kopf mit den schweren, in ein Nest aufgesteckten Zöpfen
10 empor, blickte gedankenvoll, doch nicht minder bekümmert ins
Leere und bückte sich dann tief, um ihre Schuhnestel auf=
zulösen.

Knulp wäre ungern schon jetzt weggegangen, doch schien
es ihm unrecht und fast grausam, dem armen Kinde beim
15 Auskleiden zuzuschauen. Gern hätte er sie angerufen, ein
wenig mit ihr geschwatzt und sie mit einem Scherzwort ein
wenig fröhlicher zu Bett gehen lassen. Aber er fürchtete, sie
würde erschrecken und alsbald ihr Licht ausblasen, wenn er
hinüberriefe.

20 Statt dessen begann er nun, eine seiner vielen kleinen
Künste zu üben. Er hob an, unendlich fein und zart zu pfei=
fen, wie aus der Ferne her, und er pfiff das Lied „In einem
kühlen Grunde, da geht ein Mühlenrad", und es gelang ihm,
es so fein und zart zu machen, daß das Mädchen eine ganze
25 Weile zuhörte, ohne recht zu wissen, was es sei, und erst beim
dritten Vers sich langsam aufrichtete, aufstand und horchend
an ihr Fenster trat.

Sie streckte den Kopf heraus und lauschte, indes Knulp
leise weiterpfiff. Sie wiegte den Kopf ein paar Takte lang
30 der Melodie nach, schaute dann plötzlich auf und erkannte,
woher die Musik komme.

„Ist jemand da drüben?" fragte sie halblaut.

„Nur ein Gerbergeselle", gab es ebenso leise Antwort.
„Ich will die Jungfer nicht im Schlafen stören. Ich habe nur

ein bißchen das Heimweh gehabt und mir noch ein Lied gepfiffen. Ich kann aber auch lustige. — Bist du etwa auch
fremd hier, Mädele?"

„Ich bin vom Schwarzwald."

„Ja, vom Schwarzwald! Und ich auch, und da sind wir 5
Landsleute. Wie gefällt's dir in Lächstetten? Mir gar nicht."

„Oh, ich kann nichts sagen, ich bin erst acht Tage hier.
Aber es gefällt mir auch nicht recht. Seid Ihr schon länger
da?"

„Nein, drei Tage. Aber Landsleute sagen Du zueinander, 10
gelt?"

„Nein, ich kann nicht, wir kennen einander ja gar nicht."

„Was nicht ist, kann werden. Berg und Tal kommen nicht
zueinander, aber die Leute. Wo ist denn Euer Ort, Fräulein?"

„Das kennt Ihr doch nicht." 15

„Wer weiß? Oder ist's ein Geheimnis?"

„Achthausen. Es ist bloß ein Weiler."

„Aber ein schöner, gelt? Vorn am Eck steht eine Kapelle,
und es ist auch eine Mühle da, oder eine Sägerei, und dort
haben sie einen großen gelben Bernhardinerhund. Stimmt's 20
oder stimmt's nicht?"

„Der Bello, herrje!"

Da sie sah, er kenne ihre Heimat und sei wirklich dort gewesen, fiel ein großer Teil Mißtrauen und Bedrücktheit von
ihr ab, und sie wurde ganz eifrig. 25

„Kennt Ihr auch den Andres Flick?" fragte sie rasch.

„Nein, ich kenne niemand dort. Aber gelt, das ist Euer
Vater?"

„Ja."

„So, so, also dann seid Ihr eine Jungfer Flick, und wenn 30
ich jetzt noch den Vornamen dazu weiß, dann kann ich Euch
eine Karte schreiben, wenn ich wieder einmal durch Achthausen
komme."

„Wollt Ihr denn schon wieder fort?"

„Nein, ich will nicht, aber ich will Euern Namen wissen,
Jungfer Flick."

„Ach was, ich weiß ja Euern auch nicht."

„Das tut mir leid, aber es läßt sich ändern. Ich heiße Karl
5 Eberhard, und wenn wir uns einmal am Tag wieder begegnen, dann wißt Ihr, wie Ihr mich anrufen müßt, und
wie muß ich dann zu Euch sagen?"

„Barbara."

„So ist's recht und danke schön. Er ist aber schwer zum
10 Aussprechen, Euer Name, und ich möchte fast eine Wette
machen, daß man Euch daheim Bärbele gerufen hat."

„Das hat man auch. Wenn Ihr doch alles schon wißt,
warum fragt Ihr dann so viel? Aber jetzt müssen wir Feierabend machen. Gut' Nacht, Gerber."

15 „Gut' Nacht, Jungfer Bärbele. Schlaft auch gut, und weil
Ihr's seid, will ich jetzt noch eins pfeifen. Lauft nicht fort, es
kostet nichts."

Und alsbald setzte er ein und pfiff einen kunstvollen jodler-
artigen Satz, mit Doppeltönen und Trillern, daß es funkelte
20 wie eine Tanzmusik. Sie hörte mit Erstaunen dieser Kunst-
fertigkeit zu, und als es stille ward, zog sie leise den Fensterladen herein und machte ihn fest, während Knulp ohne Licht
in seine Kammer fand.

25 Am Morgen stand Knulp diesmal zu guter Stunde auf
und nahm des Gerbers Rasiermesser in Gebrauch. Der Gerber
trug aber schon seit Jahren einen Vollbart, und das Messer
war so verwahrlost, daß Knulp es wohl eine halbe Stunde
lang über seinem Hosenträger abziehen mußte, ehe das Bar-
30 bieren gelang. Als er fertig war, zog er den Rock an, nahm
die Stiefel in die Hand und stieg in die Küche hinab, wo es
warm war und schon nach Kaffee roch.

Er bat die Meistersfrau um Bürste und Wichse zum Stiefelputzen.

„Ach was!" rief fie, „das ift kein Männergeſchäft. Laſſen
Sie mich das machen."

Allein das gab er nicht zu, und als fie endlich mit un=
geſchicktem Lachen ihr Wichszeug vor ihn hinſtellte, tat er die
Arbeit, gründlich, reinlich und dabei ſpielend, als ein Mann, 5
der nur gelegentlich und nach Laune, dann aber mit Sorgfalt
und Freude eine Handarbeit verrichtet.

„Das laſſ' ich mir gefallen", rühmte die Frau und ſah ihn an.
„Alles blank, wie wenn Sie gerade zum Schatz gehen wollten."

„Oh, das tät' ich auch am liebſten." 10

„Ich glaub's. Sie haben gewiß einen ſchönen." Sie lachte
wieder zudringlich. „Vielleicht ſogar mehr als einen?"

„Ei, das wäre nicht ſchön", tadelte Knulp munter. „Ich
kann Ihnen auch ein Bild von ihr zeigen."

Begierig trat ſie heran, während er ſein Wachstuchmäpp= 15
lein aus der Bruſttaſche zog und das Bildnis der Duſe her=
vorſuchte. Intereſſiert betrachtete ſie das Blatt.

„Die iſt ſehr fein", begann ſie vorſichtig zu loben, „das iſt
ja faſt eine rechte Dame. Nur freilich, mager ſieht ſie aus. Iſt
ſie denn auch geſund?" 20

„Soviel ich weiß, jawohl. So, und jetzt wollen wir nach
dem Alten ſehen, man hört ihn in der Stube."

Er ging hinüber und begrüßte den Gerber. Die Wohnſtube
war gefegt und ſah mit dem hellen Getäfel, mit der Uhr, dem
Spiegel und den Photographien an der Wand freundlich und 25
heimelig aus. So eine ſaubere Stube, dachte Knulp, iſt im
Winter nicht übel, aber darum zu heiraten, verlohnt doch
nicht recht. Er hatte an dem Wohlgefallen, das die Meiſterin
ihm zeigte, keine Freude.

Nachdem der Milchkaffee getrunken war, begleitete er den 30
Meiſter Rothfuß nach dem Hof und Schuppen und ließ ſich
die ganze Gerberei zeigen. Er kannte faſt alle Handwerke und
ſtellte ſo ſachverſtändige Fragen, daß ſein Freund ganz er=
ſtaunt war.

„Woher weißt du denn das alles?" fragte er lebhaft.
„Man könnte meinen, du seiest wirklich ein Gerbergesell oder
einmal einer gewesen."

„Man lernt allerlei, wenn man reist", sagte Knulp gemessen. „Übrigens, was die Weißgerberei angeht, da bist du
selber mein Lehrmeister gewesen, weißt du's nimmer? Vor
sechs oder sieben Jahren, wie wir zusammen gewandert sind,
hast du mir das alles erzählen müssen."

„Und das weißt du alles noch?"

„Ein Stück davon, Rothfuß. Aber jetzt will ich dich nimmer
stören. Schade, ich hätte dir gern ein bißchen geholfen, aber
es ist da unten so feucht und stickig, und ich muß noch so viel
husten. Also Servus, Alter, ich geh' ein wenig in die Stadt,
solang es gerade nicht regnet."

Als er das Haus verließ und langsam die Gerbergasse
stadteinwärts bummelte, den braunen Filzhut etwas nach
hinten gerückt, trat Rothfuß in die Tür und sah ihm nach,
wie er leicht und genießerisch dahinging, sauber gebürstet
und den Regenpfützen sorglich ausweichend.

Gut hat er's eigentlich, dachte der Meister mit einem kleinen
Neidgefühl. Und während er zu seinen Gruben ging, dachte
er dem Freund und Sonderling nach, der nichts vom Leben
begehrte als das Zuschauen, und er wußte nicht, sollte er das
anspruchsvoll oder bescheiden heißen. Einer, der arbeitete und
sich vorwärts schaffte, hatte es ja in vielem besser, aber er
konnte nie so zarte hübsche Hände haben und so leicht und
schlank einhergehen. Nein, der Knulp hatte recht, wenn er so
tat, wie sein Wesen es brauchte und wie es ihm nicht viele
nachtun konnten, wenn er wie ein Kind alle Leute ansprach
und für sich gewann, allen Mädchen und Frauen hübsche
Sachen sagte und jeden Tag für einen Sonntag nahm. Man
mußte ihn laufen lassen, wie er war, und wenn es ihm
schlecht ging und er einen Unterschlupf brauchte, so war es
ein Vergnügen und eine Ehre, ihn aufzunehmen, und man

mußte fast noch dankbar dafür sein, denn er machte es froh
und hell im Haus.

Indessen schritt sein Gast neugierig und vergnügt durchs
Städtchen, pfiff einen Soldatenmarsch durch die Zähne und
begann ohne Eile die Orte und Menschen aufzusuchen, die er 5
von früher her kannte. Zunächst wandte er sich nach der steil
ansteigenden Vorstadt, wo er einen armen Schneider kannte,
um den es schade war, daß er nichts als alte Hosen zu stopfen und kaum jemals einen neuen Anzug zu machen bekam,
denn er konnte etwas und hatte einmal Hoffnungen gehabt 10
und in guten Werkstätten gearbeitet. Aber er hatte früh ge-
heiratet und schon ein paar Kinder, und die Frau hatte wenig
Genie fürs Hauswesen.

Diesen Schneider Schlotterbeck suchte und fand Knulp im
dritten Stockwerk eines Hinterhauses in der Vorstadt.   15

„Servus, Schlotterbeck", sagte Knulp im Eintreten, und der
Meister, vom Licht geblendet, spähte mit eingekniffenen Augen
nach der Tür.

„Oha, der Knulp!" rief er aufleuchtend und streckte ihm
die Hand entgegen. „Auch wieder im Land? Und wo fehlt's 20
denn, daß du zu mir heraufsteigst?"

Knulp zog einen dreibeinigen Stuhl heran und setzte sich
nieder.

„Gib eine Nadel her und ein bißchen Faden, aber braunen
und vom feinsten, ich will Musterung halten."   25

Damit zog er Rock und Weste aus, suchte sich einen Zwirn
heraus, fädelte ein und überging mit wachsamen Augen seinen
ganzen Anzug, der noch sehr gut und fast neu aussah und
an dem er jede blöde Stelle, jede lockere Litze, jeden halbwegs
losen Knopf alsbald mit fleißigen Fingern wieder instand setzte. 30

„Und wie geht's sonst?" fragte Schlotterbeck. „Die Jahreszeit ist nicht zu loben. Aber schließlich, wenn man gesund ist
und keine Familie hat —"

Knulp räusperte sich polemisch.

„Ja, ja", sagte er lässig. „Der Herr lässt regnen über Gerechte und Ungerechte, und nur die Schneider sitzen trocken.
Hast du immer noch zu klagen, Schlotterbeck?"

„Ach, Knulp, ich will nichts sagen. Du hörst ja die Kinder
5 nebendran schreien. Es sind jetzt fünf. Da sitzt man und
schuftet bis in alle Nacht hinein, und nirgends will's reichen.
Und du tust nichts als spazierengehen!"

„Fehlgeschossen, alter Kunde. Vier oder fünf Wochen bin
ich im Spital gelegen, und da behalten sie keinen länger, als
10 er's bitter nötig hat, und es bleibt auch keiner länger drin.
Des Herrn Wege sind wunderbar, Freund Schlotterbeck."

„Ach lass diese Sprüche, du!"

„Bist du denn nimmer fromm, he? Ich will es gerade auch
werden, und darum bin ich zu dir gekommen. Wie steht's
15 damit, alter Stubenhocker?"

„Lass mich in Ruh' mit der Frömmigkeit! Im Spital, sagst
du? Da tust du mir aber leid."

„Ist nicht nötig, es ist vorbei. Und jetzt erzähl' einmal:
wie ist's mit dem Buch Sirach und mit der Offenbarung?
20 Weißt du, im Spital hab' ich Zeit gehabt, und eine Bibel war
auch da, da hab' ich fast alles gelesen und kann jetzt besser
mitreden. Es ist ein kurioses Buch, die Bibel."

„Da hast du recht. Kurios, und die Hälfte muss verlogen
sein, weil keins zum andern passt. Du verstehst's vielleicht
25 besser, du bist ja einmal in die Lateinschule gegangen."

„Davon ist mir wenig geblieben."

„Siehst du, Knulp —." Der Schneider spuckte zum offenen
Fenster hinaus und sah mit großen Augen und erbittertem
Gesicht hinterdrein. „Sieh, Knulp, es ist nichts mit der Fröm-
30 migkeit. Es ist nichts damit, und ich pfeife drauf, sag' ich dir.
Ich pfeife drauf!"

Der Wanderer sah ihn nachdenklich an.

„So, so. Das ist aber viel gesagt, alter Kunde. Mir scheint,
in der Bibel stehen ganz gescheite Sachen."

„Ja, und wenn du ein Stück weiterblätterst, dann steht immer irgendwo das Gegenteil. Nein, ich bin fertig damit, aus und fertig."

Knulp war aufgestanden und hatte nach einem Bügeleisen gegriffen.

„Du könntest mir ein paar Kohlen drein geben", bat er den Meister.

„Zu was denn auch?"

„Ich will die Weste ein wenig bügeln, weißt du, und dem Hut wird es auch gut tun, nach all dem Regen."

„Immer nobel!" rief Schlotterbeck etwas ärgerlich. „Was brauchst du so fein zu sein wie ein Graf, wenn du doch nur ein Hungerleider bist?"

Knulp lächelte ruhig. „Es sieht besser aus, und es macht mir eine Freude, und wenn du's nicht aus Frömmigkeit tun willst, so tust du's einfach aus Nettigkeit und einem alten Freund zuliebe, gelt?"

Der Schneider ging durch die Tür hinaus und kam bald mit dem heißen Eisen wieder.

„So ist's recht", lobte Knulp, „danke schön!"

Er begann vorsichtig den Rand seines Filzhutes zu glätten, und da er hierin nicht so geschickt war wie im Nähen, nahm ihm der Freund das Eisen aus der Hand und tat die Arbeit selber.

„Das laß' ich mir gefallen", sagte Knulp dankbar. „Jetzt ist es wieder ein Sonntagshut. Aber schau, Schneider, von der Bibel verlangst du zu viel. Das, was wahr ist, und wie das Leben eigentlich eingerichtet ist, das muß ein jeder sich selber ausdenken und kann es aus keinem Buch lernen, das ist meine Meinung. Die Bibel ist alt, und früher hat man mancherlei noch nicht gewußt, was man heute kennt und weiß; aber darum steht doch viel Schönes und Braves drin, und auch ganz viel Wahres. Stellenweise ist sie mir gerade wie ein schönes Bilderbuch vorgekommen, weißt du. Wie

das Mädchen da, die Ruth, übers Feld geht und die übrigen
Ähren sammelt, das ist fein, und man spürt den schönsten
warmen Sommer drin, oder wie der Heiland sich zu den
kleinen Kindern setzt und denkt: ihr seid mir doch viel lieber
5 als die Alten mit ihrem Hochmut alle zusammen! Ich finde,
da hat er recht, und da könnte man schon von ihm lernen."

„Ja, das wohl", gab Schlotterbeck zu und wollte ihn doch
nicht recht haben lassen. „Aber einfacher ist es schon, wenn
man das mit andrer Leute Kindern tut, als wenn man selber
10 fünf hat und weiß nicht, wie sie durchfüttern."

Er war wieder ganz verdrossen und bitter, und Knulp
konnte das nicht ansehen. Er wünschte ihm, ehe er gehe, noch
etwas Gutes zu sagen. Er besann sich ein wenig. Dann
beugte er sich zu dem Schneider, sah ihm mit seinen hellen
15 Augen nah und ernsthaft ins Gesicht und sagte leise: „Ja,
hast du sie denn nicht lieb, deine Kinder?"

Ganz erschrocken riß der Schneider die Augen auf. „Aber
freilich, was denkst du auch! Natürlich hab' ich sie lieb, den
Größten am meisten."

20 Knulp nickte mit großem Ernst.

„Ich will jetzt gehen, Schlotterbeck, und ich sage dir schönen
Dank. Die Weste ist jetzt das Doppelte wert. — Und dann, mit
deinen Kindern mußt du lieb und lustig sein, das ist schon
halb gegessen und getrunken. Paß auf, ich sage dir etwas, was
25 niemand weiß und was du nicht weiter zu erzählen brauchst."

Der Meister sah ihm aufmerksam und überwunden in die
klaren Augen, die sehr ernst geworden waren. Knulp sprach
jetzt so leise, daß der Schneider Mühe hatte, ihn zu verstehen.

„Sieh mich an! Du beneidest mich und denkst: der hat es
30 leicht, keine Familie und keine Sorgen! Aber es ist nichts damit. Ich habe ein Kind, denk' dir, einen kleinen Buben von
zwei Jahren, und der ist von fremden Leuten angenommen
worden, weil man doch den Vater nicht kennt und weil die
Mutter im Kindbett gestorben ist. Du brauchst die Stadt

nicht zu wissen, wo er ist; aber ich weiß sie, und wenn ich
dorthin komme, dann schleiche ich mich um das Haus herum
und steh' am Zaun und warte, und wenn ich Glück habe und
sehe den kleinen Kerl, dann darf ich ihm keine Hand und
keinen Kuß geben und ihm höchstens im Vorbeigehen was 5
vorpfeifen. — Ja, so ist das, und jetzt adieu, und sei froh,
daß du Kinder hast!"

Knulp setzte seinen Gang durch die Stadt fort, er stand
eine Weile plaudernd am Werkstattfenster eines Drechslers 10
und sah dem geschwinden Spiel der lockigen Holzspäne zu,
er begrüßte unterwegs auch den Polizeidiener, der ihm gewogen war und ihn aus seiner Birkendose schnupfen ließ.
Überall erfuhr er Großes und Kleines aus dem Leben der
Familien und Gewerbe, er hörte vom frühen Tod der Stadt= 15
rechnersfrau und vom ungeratenen Sohn des Bürger-
meisters, er erzählte dafür Neues von anderen Orten und
freute sich des schwachen, launigen Bandes, das ihn als Bekannten und Freund und Mitwisser da und dort mit dem
Leben der Seßhaften und Ehrbaren verband. Es war Sams= 20
tag, und er fragte in der Toreinfahrt einer Brauerei die
Küfergesellen, wo es heute abend und morgen eine Tanzgelegenheit gebe.

Es gab mehrere, aber die schönste war die im Leuen von
Gertelfingen, nur eine halbe Stunde weit. Dahin beschloß er 25
das junge Bärbele aus dem Nachbarhause mitzunehmen.

Es war bald Mittagszeit, und als Knulp die Treppe im
Rothfußschen Hause erstieg, schlug ihm von der Küche her
ein angenehm kräftiger Geruch entgegen. Er blieb stehen und
sog in knabenhafter Lust und Neugierde mit spürenden Nü= 30
stern das Labsal ein. Aber so still er gekommen war, man
hatte ihn schon gehört. Die Meistersfrau tat die Küchentür
auf und stand freundlich in der lichten Öffnung, vom Dampf
der Speisen umwölkt.

„Grüß Gott, Herr Knulp", sagte sie liebevoll, „das ist recht, daß Sie so zeitig kommen. Nämlich wir kriegen heut' Leberspatzen, wissen Sie, und da hab' ich mir gedacht, vielleicht könnte ich ein Stück Leber für Sie extra braten, wenn Sie es so lieber haben. Was meinen Sie?"

Knulp strich sich den Bart und machte eine Kavaliers- bewegung.

„Ja, warum soll denn ich was Besonderes haben, ich bin froh, wenn's eine Suppe gibt."

„Ach was, wenn einer krank gewesen ist, gehört er ordent- lich gepflegt, wo soll sonst die Kraft herkommen? Aber viel- leicht mögen Sie gar keine Leber? Es gibt solche."

Er lachte bescheiden.

„Oh, von denen bin ich nicht, ein Teller voll Leberspatzen, das ist ein Sonntagsessen, und wenn ich's mein Lebtag jeden Sonntag essen könnte, wär' ich schon zufrieden."

„Bei uns soll Ihnen nichts fehlen. Zu was hat man kochen gelernt! Aber sagen Sie's jetzt nur, es ist ein Stück Leber übrig, ich hab's Ihnen aufgespart. Es täte Ihnen gut."

Sie kam näher und lächelte ihm aufmunternd ins Gesicht. Er verstand gut, wie sie es meinte, und ziemlich hübsch war das Weiblein auch, aber er tat, als sehe er nichts. Er spielte mit seinem hübschen Filzhut, den ihm der arme Schneider aufgebügelt hatte, und sah nebenaus.

„Danke, Frau Meisterin, danke schön für den guten Wil- len. Aber Spatzen sind mir wirklich lieber. Ich werde schon genug verwöhnt bei Ihnen."

Sie lächelte und drohte ihm mit dem Zeigefinger.

„Sie brauchen nicht so schüchtern zu tun, ich glaub's Ihnen doch nicht. Also Spatzen! und ordentlich Zwiebel dran, gelt?"

„Da kann ich nicht nein sagen."

Sie lief besorgt zu ihrem Herde zurück, und er setzte sich in die Stube, wo schon gedeckt war. Er las im gestrigen Wochen- blatt, bis der Meister sich einfand und die Suppe aufgetragen

wurde. Man aß, und nach Tische wurde zu dreien eine
Viertelstunde mit Karten gespielt, wobei Knulp seine Wirtin
durch einige neue, verwegene und zierliche Kartenkunststücke
in Erstaunen setzte. Er verstand auch mit spielerischer Nach=
lässigkeit die Karten zu mischen und blitzschnell zu ordnen, 5
er warf sein Blatt mit Eleganz auf den Tisch und ließ zu=
weilen den Daumen über die Kartenränder laufen. Der Mei=
ster sah mit Bewunderung und Nachsicht zu, wie ein Arbeiter
und Bürger brotlose Künste sich gefallen läßt. Die Meisterin
aber beobachtete mit kennerhafter Teilnahme diese Anzeichen 10
einer weltmännischen Lebenskunst. Ihr Blick ruhte aufmerk=
sam auf seinen langen, zarten, von keiner schweren Arbeit
entstellten Händen.

Durch die kleinen Fensterscheiben floß ein dünner, unsiche=
rer Sonnenschein in die Stube. Mit blinzelnden Augen beob= 15
achtete Knulp das Spiel der Februarsonne, den stillen Frieden
des Hauses, das ernsthaft arbeitsame Handwerkergesicht
seines Freundes und die verschleierten Blicke der hübschen
Frau. Es gefiel ihm nicht, das war kein Ziel und Glück für
ihn. Wäre ich gesund, dachte er, und wäre es Sommerszeit, 20
ich blieb' keine Stunde länger hier.

„Ich will ein wenig der Sonne nachgehen", sagte er, als
Rothfuß die Karten zusammenstrich und auf die Uhr sah.
Er ging mit dem Meister die Treppe hinunter, ließ ihn im
Trockenschuppen bei seinen Fellen und verlor sich in den 25
öden schmalen Garten, der bis an das Flüßchen hinabreichte.
Dort hatte der Gerber einen kleinen Brettersteg gebaut, an
dem er seine Häute schwemmen konnte. Auf den Steg setzte
sich Knulp, ließ die Sohlen knapp über dem still und rasch
fließenden Wasser hängen, blickte belustigt den schnellen, 30
dunklen Fischen nach, die unter ihm weg ihren Lauf hatten,
und fing dann an, die Gegend neugierig zu studieren, denn
er suchte eine Gelegenheit, mit der kleinen Dienstmagd von
drüben zu sprechen.

Die Gärten stießen aneinander, durch einen schlecht erhaltenen Lattenzaun getrennt, und unten am Wasser, wo die Zaunpfähle längst vermodert und verschwunden waren, konnte man ungehindert vom einen Grundstück auf das
5 andere hinübergehen. Der Nachbarsgarten schien mit mehr Sorgfalt gepflegt zu werden als der wüste Grasplatz des Weißgerbers. Man sah dort vier Reihen von Beeten liegen, vergrast und eingesunken, wie sie nach dem Winter sind. Weiterhin standen, das Haus verbergend, ein paar hübsche
10 Fichtenbäume.

Bis zu ihnen drang Knulp geräuschlos vor, nachdem er den fremden Garten betrachtet hatte, und sah nun zwischen den Bäumen hindurch das Haus liegen, die Küche nach hinten, und er hatte noch nicht lange gewartet, da sah er in
15 der Küche auch das Mädchen mit aufgekrempelten Ärmeln wirtschaften. Die Hausfrau war dabei und hatte viel zu befehlen und zu lehren, wie es bei Weibern ist, die keine gelernte Magd bezahlen mögen und ihre jährlich wechselnden Lehrmädchen nachher, wenn sie aus dem Hause sind, nicht
20 genug zu preisen wissen. Ihre Unterweisung und Klage geschah jedoch in einem Ton, der ohne Bosheit war, und die Kleine schien bereits daran gewöhnt, denn sie tat unbeirrt und mit glatter Miene ihre Arbeit.

Der Eindringling stand an einen Stamm gelehnt mit vor-
25 gestrecktem Kopf, neugierig und wachsam wie ein Jäger, und lauschte mit vergnügter Geduld als ein Mann, dessen Zeit wohlfeil ist und der gelernt hat, als Zuschauer und Zuhörer am Leben teilzunehmen. Er freute sich am Anblick des Mädchens, wenn es durchs Fenster sichtbar wurde, und er schloß
30 aus der Mundart der Hausfrau, daß sie keine geborene Lächstetterin, sondern ein paar Stunden weiter oben im Tale daheim sei. Ruhig horchte er und kaute auf einem duftenden Tannenzweig eine halbe Stunde und eine ganze Stunde lang, bis die Frau verschwand und es still in der Küche wurde.

Er wartete noch eine kleine Weile, dann trat er behutsam
vor und klopfte mit einem dürren Zweig ans Küchenfenster.
Die Magd achtete nicht darauf, er mußte noch zweimal klop=
fen. Da kam sie ans halboffene Fenster, tat es vollends auf
und schaute heraus.   5

„Ja, was tut denn Ihr da?" rief sie halblaut. „Jetzt wär'
ich fast erschrocken."

„Vor mir doch nicht!" meinte Knulp und lächelte. „Ich wollte
bloß einmal Grüßgott sagen und sehen, wie's geht. Und weil
nämlich heut Samstag ist, möchte ich fragen, ob Ihr morgen 10
nachmittag etwa frei habt, zu einem kleinen Spaziergang."

Sie sah ihn an und schüttelte den Kopf, und da machte er
ein so trostlos betrübtes Gesicht, daß es ihr ganz leid tat.

„Nein", sagte sie freundlich, „morgen hab' ich nicht frei,
nur vormittags für die Kirche."   15

„So, so", brummte Knulp. „Ja, dann könntet Ihr aber
gewiß heut abend mitkommen."

„Heut abend? Ja, frei hätte ich schon, aber da will ich
einen Brief schreiben, an meine Leute daheim."

„Oh, den schreibt Ihr dann eben eine Stunde später, er 20
geht heut nacht doch nimmer fort. Seht Ihr, ich hab' mich
schon so gefreut, bis ich wieder ein bißchen mit Euch reden
kann, und heut abend, wenn's nicht gerade Katzen hagelt,
hätten wir so schön spazieren gehen können. Gelt, seid lieb,
Ihr werdet doch vor mir keine Angst haben!"   25

„Angst hab' ich keine, einmal vor Euch nicht. Aber es geht
halt nicht. Wenn man sieht, daß ich mit einem Mannsbild
spazieren geh' —"

„Aber Bärbele, es kennt Euch ja hier kein Mensch. Und es
ist doch wahrhaftig keine Sünde und geht niemand was an. 30
Ihr seid doch kein Schulmädchen mehr, gelt? Also vergeßt
es nicht, ich bin um acht Uhr bei der Turnhalle drunten, da
wo die Schranken für den Viehmarkt sind. Oder soll ich
früher kommen? Ich kann es schon richten?"

„Nein, nein, nicht früher. Überhaupt — Ihr müßt gar
nicht kommen, es geht nicht, und ich darf nicht — —"

Wieder zeigte er das knabenhaft betrübte Gesicht.

„Ja, wenn Ihr halt gar nicht mögt!" sagte er traurig. „Ich
5 habe gedacht, Ihr seid hier fremd und allein und habt manchmal das Heimweh, und ich auch, und da hätten wir einander
ein bißchen erzählen können, von Achthausen hätt' ich gern
noch mehr gehört, weil ich doch einmal dort war. Ja nun,
zwingen kann ich Euch nicht, und Ihr müßt mir's auch nicht
10 übelnehmen."

„Ach was, übelnehmen! Aber wenn ich doch nicht kann."

„Ihr habt ja frei heut abend, Bärbele. Ihr mögt bloß
nicht. Aber vielleicht überlegt Ihr's Euch noch. Ich muß jetzt
gehen, und heute abend bin ich an der Turnhalle und warte,
15 und wenn niemand kommt, dann geh' ich allein spazieren
und denk' an Euch und daß Ihr jetzt nach Achthausen schreibt.
Also adieu, und nichts für ungut!"

Er nickte kurz und war weg, ehe sie noch etwas sagen
konnte. Sie sah ihn hinter den Bäumen verschwinden und
20 machte ein ratloses Gesicht. Dann kehrte sie zur Arbeit zurück,
und plötzlich begann sie — die Frau war ausgegangen —
laut und schön zu singen.

Knulp hörte es wohl. Er saß wieder auf dem Gerbersteg
und machte kleine Kugeln aus einem Stückchen Brot, das
25 er bei Tische zu sich gesteckt hatte. Die Brotkugeln ließ er sachte
ins Wasser fallen, eine nach der andern, und schaute nachdenklich zu, wie sie untersanken, ein wenig von der Strömung abgetrieben, und wie sie unten auf dem dunklen
Grunde von den stillen gespenstischen Fischen aufgeschnappt
30 wurden.

„So", sagte der Gerbermeister beim Nachtessen, „jetzt ist's
Samstagabend, und du weißt gar nicht, wie schön das ist,
wenn man es die ganze Woche streng gehabt hat."

„Oh, ich kann's mir schon denken", lächelte Knulp, und die Meisterin lächelte mit und sah ihm schalkhaft ins Gesicht.

„Heute abend", fuhr Rothfuß in festlichem Tone fort, „heute abend trinken wir einen guten Krug Bier miteinander, meine Alte holt ihn gleich, gelt? Und morgen, wenn es gut 5 Wetter gibt, machen wir alle drei einen Ausflug. Was meinst du, alter Freund?"

Knulp schlug ihn kräftig auf die Schulter.

„Man hat es gut bei dir, das muß ich sagen, und auf den Ausflug freu' ich mich schon. Hingegen heute abend habe ich 10 eine Besorgung, es ist ein Freund von mir hier, den muß ich treffen, er hat in der oberen Schmiede gearbeitet und reist morgen fort. — Ja, es tut mir leid, aber morgen sind wir ja den ganzen Tag beieinander, sonst hätt' ich mich auch gar nicht darauf eingelassen." 15

„Du wirst doch nicht jetzt in der Nacht herumlaufen wollen, wo du noch halb krank bist."

„Ach was, zu arg darf man sich auch nicht verwöhnen. Ich komme nicht spät heim. Wo tust du den Schlüssel hin, daß ich dann hereinkann?" 20

„Du bist ein Eigensinn, Knulp. Also dann geh halt, und den Schlüssel findest du hinterm Kellerladen. Du weißt doch, wo?"

„Jawohl. Dann geh' ich jetzt. Legt euch nur zeitig ins Bett! Gut' Nacht. Gut' Nacht, Frau Meisterin."

Er ging, und als er schon unten beim Haustor war, kam 25 ihm hastig die Meistersfrau nachgelaufen. Sie brachte einen Regenschirm, den mußte Knulp mitnehmen, er mochte wollen oder nicht.

„Sie müssen auch Sorge zu sich haben, Knulp", sagte sie. „Und jetzt will ich Ihnen zeigen, wo Sie nachher den Schlüs= 30 sel finden."

Sie nahm ihn in der Dunkelheit bei der Hand und führte ihn um die Hausecke und machte vor einem Fensterchen halt, das mit Holzläden verschlossen war.

„Hinter den Laden legen wir den Schlüssel", berichtete sie
aufgeregt und flüsternd und streichelte Knulps Hand. „Sie
müssen dann bloß durch den Ausschnitt langen, er liegt auf
dem Simsen."

5   „Ja, danke schön", sagte Knulp verlegen und zog seine
Hand zurück.

„Soll ich Ihnen ein Bier aufheben, bis Sie wiederkom-
men?" fing sie wieder an und drückte sich leise gegen ihn.

„Nein, danke, ich trinke selten eins. Gut' Nacht, Frau
10 Rothfuß, und danke schön."

„Pressiert's denn so?" flüsterte sie zärtlich und kniff ihn
in den Arm. Ihr Gesicht stand dicht vor dem seinen, und in
einer verlegenen Stille, da er sie nicht mit Gewalt zurück-
stoßen mochte, strich er mit der Hand über ihr Haar.

15   „Aber jetzt muß ich weiter", rief er plötzlich überlaut und
trat zurück.

Sie lächelte ihn mit halb geöffnetem Munde an, er konnte
im Dunkeln ihre Zähne schimmern sehen. Und sie rief ganz leise:
„Ich warte dann, bis du heimkommst. Du bist ein Lieber."

20   Nun ging er rasch davon in die finstere Gasse hinein, den
Schirm unterm Arme, und begann bei der nächsten Ecke, um
der törichten Beklommenheit Herr zu werden, zu pfeifen. Es
war das Lied:

25   Du meinst, ich werd' dich nehmen,
            Hab's aber nicht im Sinn,
            Ich muß mich deiner schämen,
            Wenn ich in G'sellschaft bin.

Die Luft ging lau, und zuweilen traten Sterne am schwarzen Himmel heraus. Bei der Turnhalle machte Knulp halt
30 und schaute sich um. In den kahlen Kastanienbäumen sang
schwach der feuchte Wind, der Fluß strömte unhörbar in
tiefer Schwärze und spiegelte ein paar erleuchtete Fenster
wider. Die milde Nacht tat dem Landstreicher in allen Fibern
wohl, er atmete spürend und ahnte Frühling, Wärme,

trockene Straßen und Wanderschaft. Sein unerschöpfliches
Gedächtnis überschaute die Stadt, das Flußtal und die ganze
Gegend, er wußte überall Bescheid, er kannte Straßen und
Fußwege, Dörfer, Weiler, Höfe, befreundete Nachtherbergen.
Scharf dachte er nach und stellte den Plan für seine nächste 5
Wanderung auf, da hier in Lächstetten seines Bleibens doch
nimmer sein konnte. Er wollte nur, wenn es ihm die Frau
nicht zu schwer machte, dem Freunde zulieb noch über diesen
Sonntag bleiben.

Vielleicht, dachte er, hätte er dem Gerber einen Wink geben 10
sollen, seiner Meisterin wegen. Aber er liebte es nicht, seine
Hände in anderer Leute Sorgen zu stecken, und er hatte kein
Bedürfnis, die Menschen besser oder klüger machen zu helfen.
Es tat ihm leid, daß es so gegangen war, und seine Gedanken
an die ehemalige Ochsenkellnerin waren keineswegs freund= 15
lich; aber er dachte auch mit einem gewissen Spott an des
Gerbers würdige Reden über Hausstand und Eheglück. Er
kannte das, es war meistens nichts damit, wenn einer mit
seinem Glück oder mit seiner Tugend sich rühmte und groß=
tat, mit des Schneiders Frömmigkeit war es einst ebenso ge= 20
wesen. Man konnte den Leuten in ihrer Dummheit zusehen,
man konnte über sie lachen oder Mitleid mit ihnen haben,
aber man mußte sie ihre Wege gehen lassen.

Mit einem gedankenvollen Seufzer tat er diese Sorgen
beiseite. Er lehnte sich in die Höhlung einer alten Kastanie, 25
der Brücke gegenüber, und dachte weiter seiner Wanderschaft
nach. Er wäre gerne quer über den Schwarzwald gegangen,
aber da oben war es jetzt kalt, und vermutlich lag noch viel
Schnee, man verdarb sich die Stiefel, und die Schlafgelegen=
heiten waren weit auseinander. Nein, damit war es nichts, 30
er mußte den Tälern nachgehen und sich an die Städtchen
halten. Die Hirschenmühle, vier Stunden weiter unten am
Fluß, war der erste sichere Rastort, dort würde man ihn bei
schlechtem Wetter ein, zwei Tage behalten.

Wie er so in Gedanken stand und kaum mehr daran dachte,
daß er auf jemanden warte, erschien in Dunkelheit und Zugwind auf der Brücke eine schmale, ängstliche Gestalt und kam
zögernd näher. Er erkannte sie sofort, lief ihr freudig und
5 dankbar entgegen und schwang den Hut.

„Das ist lieb, daß Ihr kommt, Bärbele, ich habe schon beinah nimmer dran geglaubt."

Er ging zu ihrer Linken und führte sie die Allee flußaufwärts. Sie war zaghaft und schämte sich.

10 „Es war doch nicht recht", sagte sie wieder und wieder.
„Wenn uns nur niemand sieht!"

Knulp aber hatte eine Menge zu fragen, und bald wurden
die Schritte des Mädchens ruhiger und gleichmäßiger, und
schließlich ging sie leicht und munter neben ihm wie ein
15 Kamerad und erzählte, von seinen Fragen und Einwürfen
erwärmt, mit Begier und Eifer von ihrer Heimat, von Vater
und Mutter, Bruder und Großmama, von den Enten und
Hühnern, von Hagelschlag und Krankheiten, von Hochzeiten
und Kirchweihfesten. Ihr kleiner Schatz an Erlebnissen tat sich
20 auf und war größer, als sie selber geglaubt hätte, und
schließlich kam die Geschichte ihrer Verdingung und ihres Ab-
schieds von daheim, ihr jetziger Dienst und das Hauswesen
ihres Dienstherrn an die Reihe.

Sie waren längst weit vor dem Städtchen draußen, ohne
25 daß Bärbele auf den Weg geachtet hatte. Nun hatte sie sich
von einer langen, trüben Woche des Fremdseins, Schwei-
gens und Duldens im Plaudern erlöst und war ganz lustig
geworden.

„Wo sind wir denn aber?" rief sie plötzlich verwundert.
30 „Wo laufen wir denn hin?"

„Wenn es Euch recht ist, gehen wir nach Gertelfingen hinein, wir sind gleich dort."

„Gertelfingen? Was sollen wir da? Wir wollen lieber um-
kehren, es wird spät."

„Wann müßt Ihr denn daheim sein, Bärbele?"

„Um zehn. Da wird's Zeit. Es ist ein netter Spaziergang gewesen."

„Bis zehn ist's noch lang", sagte Knulp, „und ich will gewiß dran denken, daß Ihr zur Zeit heimkommt. Aber weil wir doch nimmer so jung zusammen kommen, so könnten wir eigentlich heut noch einen Tanz miteinander riskieren. Oder mögt Ihr nicht tanzen?"

Sie sah ihn gespannt und verwundert an.

„Oh, tanzen mag ich immer. Aber wo denn? Hier mitten in der Nacht draußen?"

„Ihr müßt wissen, wir sind gleich in Gertelfingen, und da ist Musik im Löwen. Wir können hineingehen, bloß auf einen einzigen Tanz, und dann gehen wir heim und haben einen schönen Abend gehabt."

Bärbele blieb zweifelnd stehen.

„Es wäre lustig", meinte sie langsam. „Aber was soll man von uns denken? Ich will nicht für so eine angeschaut werden, und ich will auch nicht, daß man meint, wir zwei gehören zusammen."

Und plötzlich lachte sie übermütig auf und rief: „Nämlich, wenn ich später einmal einen Schatz haben will, dann muß es kein Gerber sein. Ich will Euch nicht beleidigen, aber Gerber ist doch ein unsauberes Handwerk."

„Da habt Ihr vielleicht recht", sagte Knulp gutmütig. „Ihr sollt mich ja auch nicht heiraten. Es weiß kein Mensch, daß ich ein Gerber bin und daß Ihr so stolz seid, und die Hände hab' ich mir gewaschen, und wenn Ihr also einmal mit mir herumtanzen wollt, so seid Ihr eingeladen. Sonst kehren wir um."

Sie sahen in der Nacht das erste Haus des Dorfes mit einem bleichen Giebel aus Gebüschen schauen, und Knulp sagte plötzlich „Bst!" und hob den Finger auf, und da hörten sie vom Dorfe her die Tanzmusik, eine Ziehharmonika und eine Geige, tönen.

„Also denn!" lachte das Mädchen, und sie gingen rascher.

Im Löwen tanzten nur vier oder fünf Paare, lauter junge Leute, die Knulp nicht kannte. Es ging still und anständig zu, und niemand belästigte das fremde Paar, das sich dem
5 nächsten Tanz anschloß. Sie machten einen Ländler und eine Polka mit, dann kam ein Walzer, den Bärbele nicht konnte. Sie sahen zu und tranken einen Pfiff Bier, weiter reichte Knulps Barschaft nicht.

Bärbele war beim Tanzen warm geworden und blickte
10 nun mit glänzenden Augen in den kleinen Saal.

„Jetzt wär' es eigentlich Zeit zum Heimgehen", sagte Knulp, als es halb zehn Uhr war.

Sie fuhr auf und sah ein wenig traurig aus.

„Ach schade!" sagte sie leise.

15   „Wir können ja noch dableiben."

„Nein, ich muß heim. Und schön war's."

Sie gingen weg, aber unter der Tür fiel es dem Mädchen ein: „Wir haben ja der Musik gar nichts gegeben."

„Ja", meinte Knulp etwas verlegen, „sie hätten wohl
20 einen Zwanziger verdient. Aber es steht leider so mit mir, daß ich keinen habe."

Sie wurde eifrig und zog ihren kleinen gestrickten Geld= beutel aus der Tasche.

„Warum sagt Ihr auch nichts? Da ist ein Zwanziger,
25 gebt den!"

Er nahm das Geldstück und brachte es den Musikanten, dann gingen sie hinaus und mußten vor der Haustür einen Augenblick stehen bleiben, bis sie in der tiefen Dunkelheit den Weg sahen. Der Wind ging stärker und führte einzelne
30 Regentropfen.

„Soll ich den Schirm auftun?" fragte Knulp.

„Nein, bei dem Wind, wir kämen ja nicht weiter. Es ist nett gewesen da drinnen. Ihr könnet's fast wie ein Tanz= meister, Gerber."

Sie plauderte fröhlich fort. Ihr Freund aber war still ge=
worden, vielleicht daß er müde war, vielleicht daß er den
nahen Abschied fürchtete.

Plötzlich fing sie an zu singen: „Bald gras' ich am Neckar,
bald gras' ich am Rhein." Ihre Stimme klang warm und
rein, und beim zweiten Vers fiel Knulp mit ein und sang die
zweite Stimme so sicher, tief und schön, daß sie mit Behagen
darauf horchte.

„So, ist jetzt das Heimweh vergangen?" fragte er am Ende.

„O ja", lachte sie hell. „Wir müssen wieder einmal so
einen Spaziergang machen."

„Das tut mir leid", antwortete er leiser. „Es wird wohl
der letzte gewesen sein."

Da blieb sie stehen. Sie hatte nicht genau zugehört, aber
der betrübte Klang seiner Worte war ihr aufgefallen.

„Ja, was ist denn?" fragte sie leicht erschrocken. „Habt
Ihr was gegen mich?"

„Nein, Bärbele. Aber morgen muß ich fort, ich habe ge=
kündigt."

„Was Ihr nicht sagt! Ist's wahr? Das tut mir aber leid."

„Um mich muß es Euch nicht leid sein. Lang wär' ich doch
nicht geblieben, und ich bin ja auch bloß ein Gerber. Ihr
müßt bald einen Schatz haben, einen recht schönen, dann
kommt das Heimweh nimmer, Ihr werdet sehen."

„Ach, redet nicht so! Ihr wißt, daß ich Euch ganz gern
habe, wenn Ihr auch nicht mein Schatz seid."

Sie schwiegen beide, der Wind pfiff ihnen ins Gesicht.
Knulp ging langsamer. Sie waren schon nah bei der Brücke.
Schließlich blieb er stehen.

„Ich will Euch jetzt adieu sagen, es ist besser, Ihr geht
die paar Schritte noch allein."

Bärbele sah ihm mit aufrichtiger Betrübnis ins Gesicht.

„Es ist also Ernst? Dann sage ich Euch auch noch meinen
Dank. Ich will es nicht vergessen. Und alles Gute auch!"

Er nahm ihre Hand und zog sie an sich, und während sie ängstlich und verwundert in seine Augen sah, nahm er ihren Kopf mit den vom Regen feuchten Zöpfen in beide Hände und sagte flüsternd: „Adieu denn, Bärbele. Ich will jetzt zum
5 Abschied noch einen Kuß von Euch haben, daß Ihr mich nicht ganz vergeßt."

Ein wenig zuckte sie und strebte zurück, aber sein Blick war gut und traurig, und sie sah erst jetzt, wie schöne Augen er habe. Ohne die ihren zu schließen, empfing sie ernsthaft seinen
10 Kuß, und da er darauf mit einem schwachen Lächeln zögerte, bekam sie Tränen in die Augen und gab ihm den Kuß herzhaft zurück.

Dann ging sie schnell davon und war schon über der Brücke, da kehrte sie plötzlich um und kam wieder zurück. Er
15 stand noch am selben Ort.

„Was ist, Bärbele?" fragte er. „Ihr müßt heim."

„Ja, ja, ich geh' schon. Ihr dürft nicht schlecht von mir denken!"

„Das tu' ich gewiß nicht."

20 „Und wie ist denn das, Gerber? Ihr habt doch gesagt, Ihr hättet gar kein Geld mehr? Ihr kriegt doch noch Lohn, eh' Ihr fortgeht?"

„Nein, Lohn kriege ich keinen mehr. Aber es macht nichts, ich komme schon durch, da müßt Ihr Euch keine Gedanken
25 machen."

„Nein, nein! Ihr müßt etwas im Sack haben. Da!"

Sie steckte ihm ein großes Geldstück in die Hand, er spürte, daß es ein Taler war.

„Ihr könnt mir's einmal wiedergeben oder schicken, später
30 einmal."

Er hielt sie an der Hand zurück.

„Das geht nicht. So dürft Ihr nicht mit Eurem Geldlein umgehen! Das ist ja ein ganzer Taler. Nehmt ihn wieder! Nein, Ihr müßt! So. Man muß nicht unvernünftig sein.

Wenn Ihr was Kleines bei Euch habt, einen Fünfziger oder
so, den nehm' ich gerne, weil ich in der Not bin. Aber mehr
nicht."

Sie stritten noch ein wenig, und Bärbele mußte ihren
Geldbeutel herzeigen, weil sie sagte, sie habe nichts als den 5
Taler. Es war aber nicht so, sie hatte auch noch eine Mark
und einen kleinen silbernen Zwanziger, die damals noch gal-
ten. Den wollte er haben, aber das war ihr zu wenig, und
dann wollte er gar nichts nehmen und fortgehen, aber schließlich behielt er das Markstück, und sie lief nun im Trabe 10
heimwärts.

Unterwegs dachte sie beständig darüber nach, warum er
sie jetzt nicht noch einmal geküßt habe. Bald wollte es ihr
leid tun, bald fand sie es gerade besonders lieb und anständig, und dabei blieb sie schließlich. 15

Eine gute Stunde später kam Knulp nach Hause. Er sah
im Wohnzimmer droben noch Licht brennen, also saß die Meisterin noch auf und wartete auf ihn. Er spuckte ärgerlich aus
und wäre beinahe davongelaufen, gleich jetzt in die Nacht
hinein. Aber er war müde, und es würde regnen, und dem 20
Weißgerber wollte er das auch nicht antun, und außerdem
spürte er auf diesen Abend hin noch Lust zu einem bescheide-
nen Schabernack.

So fischte er denn den Schlüssel aus seinem Versteck heraus, schloß vorsichtig wie ein Dieb die Haustür auf, zog sie 25
hinter sich zu, schloß mit zusammengepreßten Lippen geräuschlos ab und versorgte den Schlüssel sorgfältig am alten
Platz. Dann stieg er auf Socken, die Schuhe in der Hand, die
Stiege hinauf, sah Licht durch eine Ritze der angelehnten
Stubentür und hörte die beim langen Warten eingeschlafene 30
Meisterin drinnen auf dem Kanapee tief in langen Zügen
atmen. Darauf stieg er unhörbar in seine Kammer hinauf,
schloß sie von innen fest ab und ging ins Bett. Aber morgen,
das war beschlossen, wurde abgereist.

Meine Erinnerung an Knulp

Es war noch mitten in der fröhlichen Jugendzeit. Knulp und ich wanderten damals in der glühenden Sommerszeit durch eine fruchtbare Gegend und hatten wenig Sorgen. Tagsüber schlenderten wir an den gelben Kornfeldern hin oder lagen auch unter einem kühlen Nußbaum oder am 5 Waldesrand, am Abend aber hörte ich zu, wie Knulp den Bauern Geschichten erzählte, den Kindern Schattenspiele vormachte und für die Mädchen seine vielen Lieder sang. Ich hörte mit Freude zu und ohne Neid, nur wenn er unter den Mädchen stand und sein braunes Gesicht leuchtete und die 10 Jungfern zwar viel lachten und spotteten, aber mit unverwandten Blicken an ihm hingen, da schien es mir zuweilen, er sei doch ein seltener Glücksvogel oder ich das Gegenteil, und dann ging ich manchmal zur Seite, um nicht so überflüssig dabeizustehen, und begrüßte entweder den Pfarrer 15 in seiner Wohnstube um ein gescheites Abendgespräch und ein Nachtlager, oder ich setzte mich ins Gasthaus zu einem stillen Wein.

Eines Nachmittags, erinnere ich mich, kamen wir an einem Kirchhof vorüber, der samt einer kleinen Kapelle verlassen 20 zwischen den Feldern lag, weit weg vom nächsten Dorf, und mit seinen dunkeln Gebüschen recht friedvoll und heimatlich in dem heißen Lande ruhte. Am Eingangsgitter standen zwei große Kastanienbäume, es war aber verschlossen, und ich wollte weitergehen. Doch Knulp mochte nicht, er schickte sich 25 an, über die Mauer zu steigen.

Ich fragte: „Schon wieder Feierabend?"

„Wohl, wohl, sonst tun mir bald die Sohlen weh."

„Ja, muß es denn gerade ein Kirchhof sein?"

„Komm du nur mit. Die Bauern gönnen sich nicht viel,
das weiß ich wohl, aber unter der Erde wollen sie's doch gut
haben. Darum lassen sie sich's gern eine Mühe kosten und
5 pflanzen was Sauberes auf die Gräber und daneben."

Da stieg ich mit hinüber und sah, daß er recht hatte, denn
es lohnte sich wohl, über das Mäuerlein zu klettern. Da
innen lagen in geraden und in krummen Reihen die Gräber
nebeneinander, die meisten mit einem weißen Kreuz von
10 Holz versehen, und darauf und darüber war es grün und
blumenfarbig.

Wir schauten alles ein wenig an und setzten uns dann im
Grase, das stellenweise hoch und in Blüte stand, und ruhten
aus und wurden kühl und zufrieden.

15 Knulp las den Namen auf dem nächsten Kreuz und sagte:
„Der heißt Engelbert Auer und ist über sechzig Jahre alt geworden. Dafür liegt er jetzt unter Reseden, was eine feine
Blume ist, und hat es ruhig. Reseden möcht' ich schon auch
einmal haben, und einstweilen nehm' ich eine von den hie-
20 sigen mit."

Ich sagte: „Laß sie nur und nimm was anderes, Reseden
welken bald."

Er brach doch eine ab und steckte sie auf seinen Hut, der
neben ihm im Grase lag.

25 „Wie es da schön still ist!" sagte ich.

Und er: „Ja, schon. Und wenn es noch ein wenig stiller
wär', so könnten wir wohl die da drunten reden hören."

„Das nicht. Die haben ausgeredet."

„Weiß man's? Man sagt doch immer, der Tod ist ein
30 Schlaf, und im Schlaf redet man oft und singt auch mitunter."

„Du vielleicht schon."

„Ja, warum nicht? Und wenn ich verstorben wär', da
würd' ich warten, bis am Sonntag die Mädlein herüber-

kommen und herumstehen und sich von einem Grab ein
Blümlein abbrechen, und dann würd' ich ganz leise anfangen
zu singen."

„So, und was denn?"

„Was? Irgendein Lied." 5

Er legte sich auf den Boden, machte die Augen zu und
fing bald mit einer leisen, kindlichen Stimme an zu singen:

> „Weil ich früh gestorben bin,
> Drum singet mir, ihr Jüngferlein,
> Ein Abschiedslied. 10
> Wenn ich wiederkomm',
> Wenn ich wiederkomm',
> Bin ich ein schöner Knabe."

Ich mußte lachen, obwohl das Lied mir gut gefiel. Er sang
schön und zart, und wenn manchmal die Worte keinen völ= 15
ligen Sinn hatten, war doch die Melodie recht fein und machte
es schön.

„Knulp", sagte ich, „versprich den Jungfern nicht zu viel,
sonst hören sie dir bald nimmer zu. Das mit dem Wieder=
kommen ist schon recht, aber gewiß weiß das kein Mensch, 20
und ob du dann gerade ein schöner Knabe wirst, das ist erst
recht nicht sicher."

„Sicher ist es nicht, das stimmt. Aber es wäre mir lieb.
Weißt du noch, vorgestern, der kleine Bub mit der Kuh, den
wir nach dem Wege gefragt haben? So wär' ich gern wieder 25
einer. Du nicht auch?"

„Nein, ich nicht. Ich habe einmal einen alten Mann ge=
kannt, wohl über siebzig, der hat so still und gut geblickt,
und mir kam es vor, als könne an ihm nur Gutes und Klu=
ges und Stilles sein. Und seither denk' ich hie und da, so 30
möcht' ich gern auch einer werden."

„Ja, da fehlt dir noch ein Stückchen dran, weißt du. Und
es ist überhaupt komisch mit dem Wünschen. Wenn ich jetzt
im Augenblick bloß zu nicken brauchte und wäre dann so ein

netter kleiner Bub, und du brauchtest bloß zu nicken und
wärst ein feiner milder alter Kerl, so würde doch keiner von
uns nicken. Sondern wir würden ganz gern bleiben, wie wir
sind."

5   „Das ist auch wahr."

      „Wohl. Und auch sonst, schau. Oft denk' ich mir: das
Allerschönste und Allerfeinste, was es überhaupt gibt, das ist
ein schlankes junges Fräulein mit einem blonden Haar.
Stimmt aber nicht, denn man sieht oft genug, daß eine
10 Schwarze fast noch schöner ist. Und außerdem, es geschieht
auch wieder, daß mir so scheint: das Allerschönste und das
Feinste von allem ist doch ein schöner Vogel, wenn man ihn
so frei in der Höhe schweben sieht. Und ein andermal ist gar
nichts so wundersam wie ein Schmetterling, ein weißer zum
15 Beispiel mit roten Augen auf den Flügeln, oder auch ein
Sonnenschein am Abend in den Wolken droben, wenn alles
glänzt und doch nicht blendet, und alles dann so froh und
unschuldig aussieht."

      „Ganz recht, Knulp. Es ist eben alles schön, wenn man es
20 in der guten Stunde anschaut."

      „Ja. Aber ich denke noch anders. Ich denke, das Schönste
ist immer so, daß man dabei außer dem Vergnügen auch
noch eine Trauer hat oder eine Angst."

      „Ja wie denn?"

25   „Ich meine so: eine recht schöne Jungfer würde man viel=
leicht nicht gar so fein finden, wenn man nicht wüßte, sie
hat ihre Zeit und danach muß sie alt werden und sterben.
Wenn etwas Schönes immerfort in alle Ewigkeit gleichbleiben
sollte, das würde mich wohl freuen, aber ich würd' es dann
30 kälter anschauen und denken: das siehst du immer noch, es
muß nicht heute sein. Dagegen was hinfällig ist und nicht
gleichbleiben kann, das schaue ich an und habe nicht bloß
Freude, sondern auch ein Mitleid dabei."

      „Nun ja."

„Darum weiß ich auch nichts Feineres, als wenn irgendwo
bei Nacht ein Feuerwerk angestellt wird. Da gibt es blaue
und grüne Leuchtkugeln, die steigen in die Finsternis hinauf,
und wenn sie gerade am schönsten sind, dann machen sie
einen kleinen Bogen und sind aus. Und wenn man dabei zu- 5
schaut, so hat man die Freude und auch zu gleicher Zeit die
Angst: gleich ist's wieder aus, und das gehört zueinander
und ist viel schöner, als wenn es länger dauern würde.
Nicht?"

„Doch, wohl. Aber das stimmt auch wieder nicht für alles." 10
„Warum nicht?"

„Zum Beispiel, wenn zwei einander gern haben und hei=
raten, oder wenn zwei miteinander eine Freundschaft schlie=
ßen, so ist das doch gerade deswegen schön, weil es für die
Dauer ist und nicht gleich wieder ein Ende haben soll."   15

Knulp sah mich aufmerksam an, dann blinzelte er mit
seinen schwarzen Wimpern und sagte nachdenklich: „Mir ist
es auch recht. Aber auch das hat doch einmal sein Ende, wie
alles. Da gibt es vielerlei, was einer Freundschaft den Hals
brechen kann, und einer Liebe auch."   20

„Schon recht, aber daran denkt man nicht, bevor es
kommt."

„Ich weiß nicht. — Sieh, du, ich habe zweimal in meinem
Leben eine Liebschaft gehabt, ich meine eine richtige, und
beidemal wußte ich gewiß, daß das für immer sei und nur 25
mit dem Tod aufhören könne, und beidemal hat es ein Ende
gefunden, und ich bin nicht gestorben. Auch einen Freund
hab' ich gehabt, daheim noch in unsrer Stadt, und hätte
nicht gedacht, daß wir beide bei Lebzeiten auseinander kom=
men könnten. Aber wir sind doch auseinander gekommen, 30
schon lange."

Er schwieg, und ich wußte nichts dazu zu sagen. Das
Schmerzliche, das in jedem Verhältnis zwischen Menschen
ruht, war mir noch nicht zum Erlebnis geworden, und ich

hatte es noch nicht erfahren, daß zwischen zwei Menschen,
sie seien noch so eng verbunden, immer ein Abgrund offen
bleibt, den nur die Liebe und auch die nur von Stunde zu
Stunde mit einem Notsteg überbrücken kann. Ich dachte über
5 die vorigen Worte meines Kameraden nach, von denen mir
das über die Leuchtkugeln am besten gefiel, denn ich hatte
das selber schon manches Mal empfunden. Die leise lockende
Farbenflamme, in die Finsternis aufsteigend und allzubald
darin ertrinkend, schien mir ein Sinnbild aller menschlichen
10 Lust, die, je schöner sie ist, desto weniger befriedigt und desto
rascher wieder verglühen muß. Das sagte ich auch zu Knulp.
　　Aber er ging nicht darauf ein.
　　„Ja, ja", sagte er nur. Und dann, nach einer guten Weile,
mit gedämpfter Stimme: „Das Sinnen und Gedankenmachen
15 hat keinen Wert, und man tut ja auch nicht, wie man denkt,
sondern tut jeden Schritt eigentlich ganz unüberlegt so, wie
das Herz gerade will. Aber das mit dem Freundsein und
Verlieben ist vielleicht doch so, wie ich meine. Am Ende hat
doch ein jeder Mensch das Seinige ganz für sich und kann es
20 nicht mit anderen gemein haben. Man sieht es auch, wenn
einer stirbt. Da wird geheult und getrauert, einen Tag und
einen Monat und auch ein Jahr, aber dann ist der Tote tot
und fort, und es könnte in seinem Sarge drin geradeso gut
ein heimatloser und unbekannter Handwerksbursch liegen."
25 　　„Du, das behagt mir aber nicht, Knulp. Wir haben doch
oft geredet, daß das Leben schließlich einen Sinn haben muß
und daß es einen Wert hat, wenn einer gut und freundlich
statt schlecht und feindselig ist. Aber so, wie du jetzt sagst, ist
eigentlich alles einerlei, und wir könnten geradeso gut steh=
30 len und totschlagen."
　　„Nein, das könnten wir nicht, mein Lieber. Schlag doch
einmal die paar nächsten Leute tot, die wir treffen, wenn
du's vermagst! Oder verlang einmal von einem gelben
Schmetterling, er soll blau sein. Der lacht dich aus."

„So mein' ich's auch nicht. Aber wenn doch alles einerlei ist, dann hat es keinen Sinn, daß man gut und redlich sein will. Dann gibt es ja kein Gutsein, wenn blau so gut wie gelb und bös so gut wie gut ist. Dann ist eben jeder wie ein Tier im Wald und tut nach seiner Natur und hat weder ein Verdienst noch eine Schuld dabei."

Knulp seufzte.

„Ja, was soll man darüber sagen! Vielleicht ist es so, wie du sagst. Dann wird man auch deswegen oft so dumm betrübt, weil man spürt, daß das Wollen keinen Wert hat und daß alles ganz ohne uns seinen Weg geht. Aber eine Schuld gibt es deswegen doch, auch wenn einer nicht anders hat können als schlecht sein. Denn er spürt es doch in sich. Und darum muß auch das Gute das Richtige sein, weil man dabei zufrieden bleibt und sein gutes Gewissen hat."

Ich sah es seinem Gesicht an, daß er dieser Gespräche satt war. Es ging ihm oft so, er kam ins Philosophieren hinein, stellte Sätze auf, redete für sie und wider sie und hörte plötzlich wieder auf. Früher hatte ich gemeint, er sei dann meiner unzulänglichen Antworten und Einwürfe müde. Aber es war nicht so, sondern er fühlte, daß seine Neigung zum Spekulieren ihn auf Gelände führte, wo seine Kenntnisse und Redemittel nicht ausreichten. Denn er hatte zwar recht viel gelesen, unter anderem Tolstoi, aber er konnte zwischen richtigen und Trugschlüssen nicht immer genau unterscheiden und fühlte das selber. Von den Gelehrten redete er, wie ein begabtes Kind von den Erwachsenen redet: er mußte anerkennen, daß sie mehr Macht und Mittel hatten als er, aber er verachtete sie, daß sie doch damit nichts Rechtes anfingen und mit allen ihren Künsten doch keine Rätsel lösen konnten.

Nun lag er wieder, den Kopf auf beiden Händen, starrte durch das schwarze Holunderlaub in den blauen heißen Himmel und summte ein altes Volkslied vom Rhein vor sich hin. Ich weiß noch den letzten Vers:

Nun hab' ich getragen den roten Rock,
Nun muß ich tragen den schwarzen Rock,
Sechs, sieben Jahr,
Bis daß mein Lieb verweset war.

5 Spät am Abend saßen wir am dunklen Rand eines Ge-
hölzes einander gegenüber, jeder mit einem großen Stück
Brot und einer halben Wurst, aßen und sahen dem Nacht=
werden zu.

Solange es noch licht gewesen war, hatten wir einander
10 drollige Sachen aus einem kleinen Büchlein vorgelesen. Das
hatte nun mit dem Tageslicht sein Ende gefunden. Als wir
fertig gegessen hatten, wünschte Knulp Musik zu hören, und
ich zog die Mundharfe aus der Tasche, die voller Brosamen
war, putzte sie aus und spielte die paar oft gehörten Melodien
15 wieder. Die Töne unserer Harmonika flogen leicht und dünn
feldeinwärts und verloren sich bald in den weiten Lüften.

„Wir können doch noch nicht gleich schlafen“, sagte ich zu
Knulp. „Erzähl' mir noch eine Geschichte, sie braucht nicht
wahr zu sein, oder sonst etwas.“

20 Knulp besann sich und sagte:

„Ein jeder Mensch hat seine Seele, die kann er mit keiner
anderen vermischen. Zwei Menschen können zueinander gehen,
sie können miteinander reden und nah beieinander sein. Aber
ihre Seelen sind wie Blumen, jede an ihrem Ort angewurzelt,
25 und keine kann zu der andern kommen, sonst müßte sie ihre
Wurzel verlassen, und das kann sie eben nicht. Die Blumen
schicken ihren Duft und ihren Samen aus, weil sie gern zueinander möchten; aber daß ein Same an seine rechte Stelle
kommt, dazu kann die Blume nichts tun, das tut der Wind,
30 und der kommt her und geht hin, wie und wo er will.“

Und später: „So habe ich auch oft über meine Eltern nachdenken müssen. Die meinen, ich sei ihr Kind und ich sei wie
sie. Aber wenn ich sie auch lieben muß, bin ich doch ihnen
ein fremder Mensch, den sie nicht verstehen können. Und

das, was die Hauptsache an mir und vielleicht gerade meine
Seele ist, das finden sie nebensächlich und schreiben es meiner Jugend oder Laune zu. Dabei haben sie mich gern und
täten mir gern alles Liebe. Ein Vater kann seinem Kind die
Nase und die Augen und sogar den Verstand zum Erbe mit= 5
geben, aber nicht die Seele. Die ist in jedem Menschen neu."

Ich hatte nichts dazu zu sagen, da ich diese Gedankenwege
damals noch nicht, wenigstens nicht aus eigenem Bedürfnis,
gegangen war. Mir war bei diesem Spintisieren eigentlich
recht wohl zumute, da es mir nicht bis ans Herz ging und 10
ich deshalb vermutete, es werde auch für Knulp mehr ein
Spiel als ein Kampf sein. Außerdem war es friedsam schön,
da im trockenen Gras zu liegen, auf die Nacht und den Schlaf
zu warten und die frühen Sterne zu betrachten.

Ich sagte: "Knulp, du bist ein Denker. Du hättest sollen 15
Professor werden."

Er lachte und schüttelte den Kopf.

"Viel eher könnt' es sein, daß ich noch einmal zur Heils=
armee ginge", meinte er dann nachdenklich.

Das war mir zu viel. "Du", sagte ich, "spiel mir doch 20
nichts vor! Willst du nicht auch noch ein Heiliger werden?"

"Doch, das will ich auch. Jeder Mensch ist heilig, wenn
es ihm mit seinen Gedanken und Taten wirklich Ernst ist.
Wenn man etwas für recht hält, muß man es tun. Und
wenn ich es einmal für das richtige halte, daß ich zur Heils= 25
armee gehe, dann werde ich's hoffentlich auch tun."

"Immer die Heilsarmee!"

"Jawohl. Ich will dir sagen, warum. Ich habe schon mit
vielen Leuten gesprochen und auch viele Reden halten hören.
Ich habe Pfarrer und Lehrer und Bürgermeister und Sozial= 30
demokraten und Liberale reden hören; aber es war keiner
dabei, dem es ganz bis ins Herz hinein Ernst war und dem
ich zugetraut hätte, daß er im Notfall für seine Weisheit
sich selber geopfert hätte. Bei der Heilsarmee aber, mit allem

Musikmachen und Radau, hab' ich schon drei-, viermal Leute
gesehen und gehört, denen ist es Ernst gewesen."

„Woher weißt du das denn?"

„Das sieht man schon. Der eine zum Beispiel, der hat in
einem Dorf eine Rede gehalten, am Sonntag, im Freien bei
einem Staub und einer Hitze, daß er bald ganz heiser war.
Kräftig hat er ohnedas nicht ausgesehen. Wenn er kein Wort
mehr herausbrachte, ließ er seine drei Kameraden einen Vers
singen und nahm derweil einen Schluck Wasser. Das halbe
Dorf ist um ihn herumgestanden, Kinder und Große, und
haben ihn für Narren gehabt und kritisiert. Hinten stand
ein junger Knecht, der hatte eine Peitsche und ließ von Zeit
zu Zeit einen Mordsknaller los, um den Redner recht zu
ärgern, und dann lachten jedesmal alle. Aber der arme Kerl
ist nicht bös geworden, obwohl er gar nicht dumm war,
sondern hat sich mit seinem Stimmlein in dem Spektakel
durchgefochten und hat gelächelt, wo ein andrer geheult oder
geflucht hätte. Weißt du, das tut einer nicht um einen
Hungerlohn und um des Vergnügens willen, sondern er
muß eine große Helligkeit und Gewißheit in sich haben."

„Meinetwegen. Aber eins paßt nicht für alle. Und wer
ein feiner und empfindsamer Mensch ist wie du, der tut bei
dem Spektakel nicht mit."

„Vielleicht doch. Wenn er etwas weiß und hat, was noch
viel besser ist als die ganze Feinheit und Empfindsamkeit.
Es paßt freilich nicht eins für alle, aber die Wahrheit, die
muß für alle passen."

„Ach Wahrheit! Woher weiß man, ob gerade die mit
ihrem Halleluja die Wahrheit haben."

„Das weiß man nicht, ganz richtig. Aber ich sage ja nur:
Wenn ich einmal finde, daß das die Wahrheit ist, dann will
ich ihr auch folgen."

„Ja wenn! Aber du findest ja jeden Tag eine Weisheit,
und morgen läßt du sie nimmer gelten."

Er sah mich betroffen an.

„Da hast du etwas Schlimmes gesagt."

Ich wollte mich entschuldigen, doch wehrte er ab und blieb still. Bald sagte er leise gute Nacht und legte sich ruhig hin, aber ich glaube nicht, daß er schon schlief. Auch ich war noch zu lebhaft und lag noch weit über eine Stunde lang mit aufgestützten Ellbogen da und schaute in das nächtliche Land hinein.

Am Morgen sah ich gleich, daß Knulp heute seinen guten Tag habe. Ich sagte ihm das, und er strahlte mich mit seinen kinderhaften Augen an und sagte: „Richtig geraten. Und weißt du auch, wo es herkommt, wenn einer so einen guten Tag hat?"

„Nein, woher?"

„Es kommt davon, daß man nachts gut geschlafen und recht viel Schönes geträumt hat. Aber man darf es nimmer wissen. So geht mir's heute. Ich habe lauter Pracht und Lustbarkeit zusammengeträumt, aber alles vergessen; ich weiß nur noch, daß es herrlich schön gewesen ist."

Und noch eh' wir das nächste Dorf erreicht und eine Morgenmilch im Leibe hatten, sang er schon mit seiner warmen, leichten, mühelosen Stimme drei, vier nagelneue Lieder in die Frühe hinein.

Den damaligen Tag wurde ich ganz von seiner Laune angesteckt. Wir begrüßten und neckten alle Leute, die uns begegneten, so daß hinter uns her bald gelacht, bald geschimpft wurde, und der ganze Tag verging uns wie eine Festlichkeit. Wir erzählten einander Streiche und Witze aus der Schulzeit, hingen den vorübergehenden Bauern und oft auch ihren Rossen und Ochsen Spitznamen an, aßen uns an einem verborgenen Gartenzaun an gestohlenen Stachelbeeren satt und schonten unsere Kräfte und Stiefelsohlen, indem wir beinahe jede Stunde eine Rast hielten.

Mir schien, seit meiner noch jungen Bekanntschaft mit
Knulp hätte ich ihn noch nie so fein und lieb und unterhalt=
sam gefunden, und ich freute mich darauf, daß von heute
an das eigentliche Zusammenleben und Wandern und Lustig=
5 sein erst anheben sollte.

Der Mittag wurde schwül, und wir lagen mehr im Grase,
als wir marschierten, und gegen den Abend hin zog sich Ge=
witterdunst und drange Luft zusammen, so daß wir be=
schlossen, für die Nacht ein Dach zu suchen.

10 Knulp wurde nun allmählich stiller und ein wenig müde,
doch merkte ich es kaum, denn er lachte noch immer herzlich
mit und stimmte oft in meinen Gesang ein, und ich selber
ward noch ausgelassener und fühlte ein Freudenfeuer um
das andere in mir angehen. Vielleicht war es bei Knulp um=
15 gekehrt, daß in ihm die festlichen Lichter schon zu verglimmen
begannen. Mir ist es damals immer so gegangen, daß ich
an frohen Tagen gegen die Nacht hin immer lebhafter
wurde und kein Ende finden konnte, ja, oft trieb ich mich
nach einer Lustbarkeit nachts noch ganze Stunden allein
20 herum, wenn die andern längst ermüdet waren und schliefen.

Dieses abendliche Freudenfieber befiel mich auch damals,
und ich freute mich, als wir talwärts gegen ein stattliches Dorf
kamen, auf eine lustige Nacht. Vorerst bestimmten wir eine
abseits stehende, leicht zugängliche Scheuer zu unserer Nacht=
25 herberge, dann zogen wir in das Dorf ein und in einen schönen
Wirtsgarten, denn ich hatte meinen Freund für heute als
meinen Gast geladen und dachte einen Eierkuchen und ein paar
Flaschen Bier zu spendieren, weil es doch ein Freudentag war.

Knulp hatte die Einladung auch willig angenommen. Doch
30 als wir unter einem schönen Platanenbaum an unsrem
Gartentisch Platz nahmen, sagte er halb verlegen: „Du, wir
wollen aber keine Trinkerei anfangen, gelt? Eine Flasche
Bier trink’ ich gern, das tut gut und ist mir ein Vergnügen,
aber mehr mag ich kaum vertragen.“

Ich ließ es gut sein und dachte: Wir werden schon zu so viel oder wenig kommen, als uns Freude macht. Wir aßen den heißen Eierkuchen und ein kräftig frisches, braunes Roggenbrot dazu, und allerdings ließ ich mir bald eine zweite Flasche Bier bringen, während Knulp seine erste noch 5 halbvoll hatte. Mir war, da ich wieder üppig und herrschaftlich an einem guten Tische saß, herzlich wohl zumute, und ich dachte das heute abend noch eine Weile zu genießen.

Als Knulp mit seiner Flasche zu Ende war, nahm er trotz meinen Bitten keine zweite an und schlug mir vor, jetzt noch 10 ein wenig durchs Dorf zu schlendern und dann zeitig schlafen zu gehen. Das war nun gar nicht meine Absicht, doch mochte ich nicht geradezu widersprechen. Und da meine Flasche noch nicht leer war, hatte ich auch nichts dagegen, daß er einstweilen vorausging, wir würden uns nachher schon wieder 15 treffen.

Er ging denn auch. Ich sah ihm nach, wie er mit seinem bequemen, genießenden Feierabendschritt, eine Sternblume hinterm Ohr, die paar Treppen hinab auf die breite Gasse und langsam dorfeinwärts bummelte. Und wenn es mir 20 auch leid tat, daß er nicht noch eine Flasche mit mir leeren wollte, dachte ich im Nachschauen doch froh und zärtlich: Du lieber Kerl!

Inzwischen nahm die Schwüle, trotzdem die Sonne schon verschwunden war, noch immer zu. Ich hatte das gern, bei 25 solchem Wetter in Ruhe bei einem frischen Abendtrunk zu sitzen, und richtete mich an meinem Tische noch auf einiges Bleiben ein. Da ich beinahe der einzige Gast war, fand die Kellnerin reichlich Zeit, mit mir ein Gespräch zu pflegen. Ich ließ mir von ihr auch noch zwei Zigarren bringen, von denen 30 ich eine anfänglich für Knulp bestimmte, doch rauchte ich sie nachher in der Vergeßlichkeit selber.

Einmal, etwa nach einer Stunde, kam Knulp wieder und wollte mich abholen. Ich war jedoch seßhaft geworden, und

da er müde war und Schlaf hatte, wurden wir einig, daß
er an unsere Schlafstätte gehen und sich hinlegen sollte. So
ging er denn. Die Kellnerin aber fing sofort an, mich nach
ihm auszufragen, denn er stach allen Mädchen in die Augen.
5 Ich hatte nichts dagegen, er war ja mein Freund und sie nicht
mein Schatz, und ich pries ihn sogar noch mächtig, denn mir
war wohl, und ich meinte es mit jedermann gut.

Es fing zu donnern und leise im Platanenbaum zu winden
an, als ich endlich spät aufbrach. Ich zahlte, schenkte dem
10 Mädchen einen Zehner und machte mich ohne Eile auf den
Weg. Im Gehen spürte ich wohl, daß ich eine Flasche zu viel
getrunken hatte, denn ich hatte die letzte Zeit ganz ohne starkes
Getränk gelebt. Doch machte mich das nur vergnügt, denn ich
konnte schon etwas vertragen, und ich sang noch den ganzen
15 Weg vor mich hin, bis ich unser Quartier wiederfand. Da
stieg ich leise hinein und fand richtig den Knulp im Schlaf
liegen. Ich sah ihn an, wie er hemdärmlig auf seiner aus-
gebreiteten braunen Jacke lag und gleichmäßig atmete. Seine
Stirn und der bloße Hals und die eine Hand, die er von sich
20 weggestreckt hielt, gaben in dem trüben Halbdunkel einen
bleichen Schein.

Dann legte ich mich in den Kleidern nieder, doch machte
die Erregung und der eingenommene Kopf mich immer wieder wach, und es wurde draußen schon Zwielicht, als ich end-
25 lich fest und tief einschlief. Es war ein fester, doch kein guter
Schlaf, ich war schwer und matt geworden und hatte un-
deutliche, plagende Träume.

Am Morgen erwachte ich erst spät, es war schon voller
Tag, und das helle Licht tat mir in den Augen weh. Mein
30 Kopf war leer und trüb und die Glieder müde. Ich gähnte
lange, rieb mir die Augen und streckte die Arme, daß die Ge-
lenke knackten. Aber trotz der Müdigkeit hatte ich noch einen
Rest von der gestrigen Laune in mir und dachte, den kleinen
Jammer am nächsten klaren Brunnen von mir zu spülen.

Es kam jedoch anders. Als ich mich umsah, war Knulp nicht vorhanden. Ich rief und pfiff nach ihm und war im Anfang noch arglos. Als jedoch Rufen, Pfeifen und Suchen vergeblich blieb, kam mir plötzlich die Erkenntnis, daß er mich verlassen habe. Ja, er war fort, heimlich fortgegangen, er hatte nicht länger bei mir bleiben mögen. Vielleicht weil ihm mein gestriges Trinken zuwider war, vielleicht weil sich heute seiner eigenen gestrigen Ausgelassenheit schämte, vielleicht nur aus einer Laune, vielleicht aus Zweifel an meiner Gesellschaft oder aus einem plötzlich erwachten Bedürfnis nach Einsamkeit. Aber wahrscheinlich war doch mein Trinken daran schuld.

Die Freude wich von mir, Scham und Trauer erfüllten mich ganz. Wo war jetzt mein Freund? Ich hatte, seinen Reden zum Trotz, gemeint, seine Seele ein wenig zu verstehen. Nun war er fort, ich stand allein und enttäuscht, mußte mich mehr als ihn anklagen und hatte nun die Einsamkeit, in welcher nach Knulps Ansicht jeder lebt und an die ich nie ganz hatte glauben mögen, selber zu kosten. Sie war bitter, nicht nur an jenem ersten Tag, und sie ist inzwischen wohl manches Mal lichter geworden, aber völlig will sie mich seither nicht mehr verlassen.

Das Ende

Es war ein heller Tag im Oktober; auf der Landstraße nach Bulach fuhr langsam der Einspänner des Doktors Machold. Der Weg ging sachte bergan, links abgemähte Äcker und Kartoffelfelder, in denen noch geerntet wurde, rechts junger enger Fichtenwald. Geradeaus führte die Straße 5 einfach in den zartblauen Herbsthimmel hinein, als habe da oben die Welt ein Ende.

Der Doktor hielt die Zügel lose in den Händen und ließ das alte Pferdchen gehen, wie es wollte. Er kam von einer sterbenden Frau, der nicht mehr zu helfen war und die doch 10 zäh ums Leben gekämpft hatte bis zur letzten Stunde. Nun war er müde und genoß die stille Fahrt durch den freundlichen Tag. Er war auf dem Lande aufgewachsen, und seine Sinne folgten erfahren und willig allen ländlichen Zeichen der Jahreszeiten und ihrer Geschäfte. 15

Er war nahe am Einschlafen, da weckte ihn das Stehenbleiben des Wagens. Eine Wasserrinne lief quer über die Straße, darin fanden die Vorderräder einen Halt, und das Roß blieb dankbar stehen, senkte den Kopf und genoß wartend die Rast. 20

Machold ermunterte sich über dem plötzlichen Verstummen der Räder, nahm die Zügel zusammen und trieb den Gaul mit vertraulichem Zungenschnalzen zum Weitersteigen an. Darauf setzte er sich aufrecht, er liebte es nicht, am Tage zu schlummern, und steckte sich eine Zigarre an. Die Fahrt ging 25 im langsamen Schritt weiter, zwei Weiber grüßten vom Felde, in Schattenhüten hinter einer langen Front von gefüllten Kartoffelsäcken hervor.

Die Höhe war jetzt nahe, und das Pferdchen hob den Kopf,
ermuntert und voll Erwartung, nächstens den langen Sattel des heimatlichen Hügels hinabzutraben. Da erschien im
nahen lichten Horizont ein Mensch. Er kam näher, ein
5 magerer Mann mit kleinem Bart in schlechten Kleidern, sichtlich auf der Landstraße daheim, er ging müde und mühevoll,
aber er zog den Hut mit Artigkeit und sagte Grüß Gott.

„Grüß Gott", sagte der Doktor Machold und sah dem
Fremden nach, der schon vorüber war, und plötzlich hielt er
10 den Gaul an, wandte sich stehend über das knarrende Lederdach zurück und rief: „Heda, Sie! Kommen Sie einmal
her!"

Der staubige Wanderer blieb stehen und sah zurück. Er
lächelte schwach herüber, wandte sich wieder ab und schien
15 weitergehen zu wollen, dann besann er sich dennoch und
kehrte gehorsam um.

Jetzt stand er neben dem niederen Wagen und hatte den
Hut in der Hand.

„Wohinaus, wenn man fragen darf?" rief Machold.

20 „Der Straße nach, gegen Berchtoldsegg."

„Kennen wir einander nicht? Ich kann bloß nicht auf den
Namen kommen. Sie wissen doch, wer ich bin?"

„Sie sind der Doktor Machold, will mir scheinen."

„Na also? Und Sie? Wie heißen Sie?"

25 „Der Herr Doktor wird mich schon kennen. Wir sind einmal nebeneinander beim Präzeptor Plocher gesessen, Herr
Doktor, und Sie haben damals die lateinischen Präparationen
von mir abgeschrieben."

Machold war schnell ausgestiegen und sah dem Mann in
30 die Augen. Dann klopfte er ihm auflachend auf die Schulter.

„Stimmt!" sagte er. „Dann bist du also der berühmte
Knulp, und wir sind Schulkameraden. So laß dir doch die
Hand schütteln, alter Kerl! Wir haben uns sicher zehn Jahre
nimmer gesehen. Immer noch auf der Wanderschaft?"

„Immer noch. Man bleibt gern beim Gewohnten, wenn man älter wird."

„Da hast du recht. Und wohin geht die Reise? Wieder einmal der Heimat zu?"

„Richtig geraten. Ich will nach Gerbersau, ich habe eine Kleinigkeit dort zu tun."

„So, so. Lebt denn noch jemand von deinen Leuten?"

„Niemand mehr."

„Gerade jugendlich schaust du nimmer aus, Knulp. Wir sind doch erst Vierziger, wir zwei. Und daß du so einfach an mir vorbei hast laufen wollen, ist nicht recht von dir. — Weißt du, mir scheint, du könntest vielleicht einen Doktor brauchen."

„Ach was. Mir fehlt weiter nichts, und was mir fehlt, das kann doch kein Doktor kurieren."

„Das wird sich ja zeigen. Jetzt steig einmal ein und komm mit mir, dann können wir besser reden."

Knulp trat ein wenig zurück und setzte den Hut wieder auf. Mit verlegenem Gesicht wehrte er sich, als der Doktor ihm in den Wagen helfen wollte.

„Ach, wegen dessen, das wäre nicht nötig. Das Rößlein rennt dir nicht fort, solang wir dastehen."

Indessen faßte ihn ein Anfall von Husten, und der Arzt, der schon Bescheid wußte, packte ihn kurzerhand und setzte ihn in das Gefährt.

„So", sagte er im Weiterfahren, „gleich sind wir droben, und dann geht's Trab, in einer halben Stunde sind wir daheim. Du brauchst keine Unterhaltung zu machen, mit deinem Husten, wir können dann daheim weiter reden. — — Was? — — Nein, das hilft dir jetzt nichts mehr, kranke Leute gehören ins Bett und nicht auf die Landstraße. Weißt du, damals im Latein hast du mir oft genug geholfen, jetzt bin ich einmal an der Reihe."

Sie fuhren über den Höhenrücken und mit pfeifender

Bremſe den langen Sattel hinab; gegenüber ſah man ſchon
die Dächer von Bulach über den Obſtbäumen. Machold hielt
die Zügel kurz und paßte auf den Weg, und Knulp ergab
ſich müde in halbem Behagen dem Genuß des Fahrens und
5 der gewaltſamen Gaſtfreundſchaft. Morgen, dachte er, oder
ſpäteſtens übermorgen walze ich weiter nach Gerberſau, wenn
die Knochen noch zuſammenhalten. Er war kein Springinsfeld mehr, der die Tage und Jahre verſchwendete. Er war ein
kranker, alter Mann, der keinen Wunſch mehr hatte, als vor
10 dem Ende noch einmal die Heimat zu ſehen.

In Bulach nahm ihn ſein Freund zuerſt in die Wohnſtube
und gab ihm Milch zu trinken und Brot mit Schinken zu
eſſen. Dabei plauderten ſie und fanden langſam die Vertrautheit wieder. Dann erſt nahm ihn der Arzt ins Verhör,
15 das der Kranke gutmütig und etwas ſpöttiſch über ſich er-
gehen ließ.

„Weißt du eigentlich, was dir fehlt?“ fragte Machold am
Ende ſeiner Unterſuchung. Er ſagte es leicht und ohne
Wichtigkeit, und Knulp war ihm dafür dankbar.

20 „Ja, ich weiß ſchon, Machold. Es iſt die Auszehrung, und
ich weiß auch, daß es nimmer lang gehen kann.“

„Na, wer weiß! Aber dann mußt du alſo auch einſehen,
daß du in ein Bett und in eine Pflege gehörſt. Einſtweilen
kannſt du ja hier bei mir bleiben, ich ſorge inzwiſchen für
25 einen Platz im nächſten Spital. Es ſpukt bei dir, mein Lieber,
und du mußt dich zuſammennehmen, daß du noch einmal
durchkommſt.“

Knulp zog ſeinen Rock wieder an. Er wandte ſein hageres
und graues Geſicht mit einem Ausdruck von Schelmerei dem
30 Doktor zu und ſagte gutmütig: „Du machſt dir viele Mühe,
Machold. Alſo meinetwegen. Aber von mir darfſt du nimmer viel erwarten.“

„Wir werden ja ſehen. Jetzt ſetzeſt du dich in die Sonne,
ſo lang ſie noch in den Garten ſcheint. Die Lina macht dir

das Gastbett zurecht. Wir müssen dir auf die Finger sehen,
Knülplein. Daß so ein Mensch, der sein ganzes Leben in der
Sonne und Luft zugebracht hat, sich dabei die Lungen kaputt
macht, ist eigentlich nicht in der Ordnung."

Damit ging er weg.   5

Die Haushälterin Lina war nicht erfreut und wehrte sich
dagegen, so einen Landstreicher ins Gastzimmer zu lassen.
Aber der Doktor schnitt ihr das Wort ab.

„Lassen Sie gut sein, Lina. Der Mann hat nimmer lang
zu leben, er muß es bei uns noch ein bißchen gut haben. 10
Sauber ist er übrigens immer gewesen, und eh' er zu Bett
geht, stecken wir ihn ins Bad. Tun Sie ihm eins von meinen
Nachthemden heraus und vielleicht meine Winterpantoffeln.
Und vergessen Sie nicht: der Mann ist ein Freund von mir."

Knulp hatte elf Stunden geschlafen und den nebligen 15
Morgen im Bett verdämmert, wo er sich erst allmählich besinnen konnte, bei wem er sei. Als die Sonne herausgekom-
men war, hatte Machold ihm das Aufstehen erlaubt, und
nun saßen sie beide nach Tisch bei einem Glas Rotwein auf
der sonnigen Altane. Knulp war vom guten Essen und von 20
seinem halben Glas Wein munter und gesprächig geworden,
und der Doktor hatte sich für eine Stunde frei gemacht, um
noch einmal mit dem seltsamen Schulkameraden zu plaudern
und vielleicht etwas über dieses nicht gewöhnliche Menschenleben zu erfahren.   25

„Du bist also zufrieden mit dem Leben, das du gehabt
hast?" sagte er lächelnd. „Dann ist ja alles gut. Sonst hätte
ich aber doch gesagt, es ist eigentlich schade um so einen Kerl
wie dich. Du hättest ja kein Pfarrer oder Lehrer zu werden
brauchen, vielleicht aber wäre ein Naturforscher oder auch 30
etwa ein Dichter aus dir geworden. Ich weiß nicht, ob du
deine Gaben benutzt und weiter gebildet hast, aber du hast
sie für dich allein verbraucht. Oder nicht?"

Knulp stützte das Kinn mit dem dünnen Bärtchen in die
hohle Hand und sah auf die roten Lichter, die hinterm Wein-
glas auf dem besonnten Tischtuch spielten.

„Es stimmt nicht ganz", sagte er langsam. „Die Gaben,
5 wie du es nennst, damit ist es nicht so weit her. Ich kann ein
bißchen kunstpfeifen, auch Handorgel spielen und manchmal
Verslein machen, früher bin ich auch ein guter Läufer gewesen und habe nicht schlecht getanzt. Das ist alles. Und
daran habe ich ja nicht allein Freude gehabt, es waren mei-
10 stens Kameraden dabei, oder junge Mädel oder Kinder, die
haben ihren Spaß daran gehabt und sind mir manchmal
dafür dankbar gewesen. Wir wollen es gut sein lassen und
damit zufrieden sein."

„Ja", sagte der Doktor, „das wollen wir. Aber eins muß
15 ich dich noch fragen. Du bist damals bis in die fünfte Klasse
mit mir in die Lateinschule gegangen, ich weiß es noch genau,
und bist ein guter Schüler gewesen, wenn auch kein Muster-
bub. Und dann auf einmal warst du weg, und es hieß, du
gehest jetzt in die Volksschule, und da waren wir ausein-
20 ander, ich durfte ja als Lateiner nicht mit einem Freund sein,
der in die Volksschule ging. Wie ist nun das zugegangen?
Später, wenn ich von dir hörte, habe ich immer gedacht:
wenn er damals bei uns in der Schule geblieben wäre, hätte
alles anders kommen müssen. Also, wie war's damit? War
25 es dir verleidet, oder hat dein Alter das Schulgeld nimmer
zahlen mögen, oder was sonst?"

Der Kranke nahm sein Glas in die braune, magere Hand,
doch trank er nicht, er blickte nur durch den Wein und stellte
dann den Kelch vorsichtig auf den Tisch zurück. Schweigend
30 schloß er dann die Augen und versank in Gedanken.

„Ist es dir zuwider, davon zu reden?" fragte sein Freund.
„Es muß ja nicht sein."

Da tat Knulp die Augen auf und sah ihm lange und
prüfend ins Gesicht.

„Doch", sagte er, noch zögernd, „ich glaube, es muß sein. Ich habe das nämlich noch nie einem Menschen erzählt. Aber jetzt ist es vielleicht ganz gut, wenn jemand es hört. Es ist ja bloß eine Kindergeschichte, aber für mich ist sie doch wichtig gewesen, es hat mir jahrelang zu schaffen gemacht. Sonderbar, daß du gerade danach fragst!"

„Warum?"

„Ich habe die letzte Zeit wieder viel daran denken müssen, und deswegen bin ich auch wieder auf dem Weg nach Gerbersau."

„Ja, dann erzähle."

„Siehst du, Machold, wir sind ja damals gute Freunde gewesen, wenigstens bis in die dritte oder vierte Klasse. Nachher kamen wir weniger zusammen, und du hast manchmal vergebens vor unserem Haus gepfiffen."

„Herrgott, ja, das stimmt! Daran habe ich seit mehr als zwanzig Jahren nimmer gedacht. Mensch, was hast du für ein Gedächtnis! Und weiter?"

„Ich kann dir jetzt sagen, wie das gegangen ist. Die Mädchen waren daran schuld. Ich bin ziemlich früh auf sie neugierig geworden, und du hast noch an den Storch und an den Kindlesbrunnen geglaubt, da wußte ich schon so ziemlich, wie es mit Buben und Mädeln beschaffen ist. Das war mir damals die Hauptsache, darum bin ich nimmer viel bei eurem Indianerspiel dabei gewesen."

„Da warst du zwölf Jahre alt, nicht?"

„Fast dreizehn, ich bin ein Jahr älter als du. Beim Gerber Haasis waren zwei Töchter in meinem Alter, und da kamen auch andere Mädchen aus der Nachbarschaft hin, wir spielten auf den Böden Verstecken und hatten immer viel zu kichern und geheim zu tun. Ich war meistens der einzige Bub in dieser Gesellschaft, und manchmal durfte ich einer von ihnen die Zöpfe flechten oder eine gab mir einen Kuß, wir waren alle noch unerwachsen und wußten nicht recht Bescheid, aber

es war alles voll von Verliebtheit, und beim Baden ver=
steckte ich mich in die Büsche und sah ihnen zu. — — Und
eines Tages war eine Neue da, eine aus der Vorstadt, ihr
Vater war Arbeiter in der Stickerei. Sie hat Franziska ge=
5 heißen, und sie hat mir gleich beim erstenmal gut gefallen."

Der Doktor unterbrach ihn. „Wie hat ihr Vater geheißen?
Vielleicht kenn' ich sie."

„Verzeih, ich möchte dir das lieber nicht sagen, Machold.
Es gehört nicht zur Geschichte, und ich will auch nicht, daß
10 jemand das von ihr weiß. In die wurde ich verliebt, und
weil sie zwei Jahre älter war und schon davon redete, daß
sie jetzt bald einen Schatz haben wolle, da wurde es mein
einziger Wunsch, der möchte ich sein. — — Einmal saß sie
allein im Lohgarten am Fluß und hatte die Füße ins Was=
15 ser hängen. Da kam ich und setzte mich zu ihr. Auf einmal
bekam ich Mut und sagte ihr, ich wolle und müsse ihr Schatz
werden. Aber sie sah mich mit den braunen Augen mit=
leidig an und sagte: ,Du bist ja noch ein Büble und hast
kurze Hosen an, was weißt denn du von Schatz und Lieb=
20 haben?' Doch, sagte ich, ich wisse alles, und wenn sie nicht
mein Schatz werden möge, dann werfe ich sie ins Wasser
und mich mit. Da schaute sie mich aufmerksam an und sagte:
,Wir wollen einmal sehen. Kannst du denn schon küssen?'
Ich sagte ja und gab ihr schnell einen Kuß auf den Mund
25 und dachte, damit wäre es gut, aber sie hatte meinen Kopf
gepackt und hielt ihn fest und küßte mich jetzt, daß mir
Hören und Sehen verging. Dann lachte sie mit ihrer tiefen
Stimme und sagte: ,Du würdest mir schon passen, Bub. Aber
es geht doch nicht. Ich kann keinen Schatz brauchen, der in
30 die Lateinschule geht. Ich muß einen richtigen Mann zum
Schatz haben, einen Handwerker oder einen Arbeiter, keinen
Studierten. Es ist also nichts damit.' Ich konnte aber gar
nicht daran denken, von ihr zu lassen. Also habe ich der
Franziska versprochen, ich wolle nimmer in die Lateinschule

gehen und ein Handwerker werden. Sie lachte nur, aber ich
ließ nicht nach, und zuletzt küßte sie mich wieder und versprach mir, wenn ich kein Lateinschüler mehr sei, dann wolle
sie mein Schatz sein, und ich solle es gut bei ihr haben."

Knulp hielt inne und hustete eine Weile. Sein Freund sah
aufmerksam herüber, beide schwiegen eine kleine Zeit. Dann
fuhr er fort: „Also, jetzt weißt du die Geschichte. Es ist natürlich nicht so geschwind gegangen, wie ich gemeint hatte. Mein
Vater gab mir ein paar Ohrfeigen, als ich ihm mitteilte, ich
wolle und könne jetzt nimmer in die Lateinschule gehen. Ich
wußte nicht gleich Rat; oft habe ich mir vorgenommen, ich
wolle unsere Schule anzünden. Das waren Kindergedanken,
aber mit der Hauptsache ist es mir Ernst gewesen. Schließlich fiel mir der einzige Ausweg ein. Ich tat einfach in der
Schule nicht mehr gut. Weißt du's nimmer?"

„Wahrhaftig, es dämmert mir wieder. Du hast eine Zeitlang fast jeden Tag Arrest gehabt."

„Ja. Ich habe Stunden geschwänzt und schlechte Antworten
gegeben, ich habe die Aufgaben nicht gemacht und meine
Schulhefte verloren, es war jeden Tag etwas los, und
schließlich bekam ich Freude dran und habe jedenfalls den
Lehrern damals das Leben nicht leicht gemacht. Das Latein
und das Zeug alles war mir sowieso jetzt nimmer extra
wichtig. Du weißt, ich hab' immer eine gute Nase gehabt,
und wenn ich hinter etwas Neuem her war, dann gab's
eine Weile nichts anderes für mich auf der Welt. So war
mir's mit dem Turnen gegangen, und dann mit dem Forellenfangen, und mit der Botanik. Und gerade so hatte ich's halt
damals mit den Mädchen, und eh' ich da die Hörner ab-
gelaufen und meine Erfahrung gewonnen hatte, war mir
nichts andres wichtig. Die Lehrer merkten das vielleicht, sie
hatten mich im ganzen gern und schonten mich solang wie
möglich, und es wäre nichts aus meinen Absichten geworden,
aber ich fing jetzt eine Freundschaft mit dem Bruder der

Franziska an. Er ging in die Volksschule, in die letzte Klasse,
und war ein schlechter Kerl; ich habe viel von ihm gelernt,
aber nichts Gutes, und habe viel von ihm zu leiden gehabt.
In einem halben Jahr war mein Ziel endlich erreicht, mein
5 Vater hat mich halbtot geschlagen, aber ich war aus eurer
Schule ausgewiesen und saß jetzt in der gleichen Volksschul=
stube wie der Bruder der Franziska."

„Und sie? Das Mädel?" fragte Machold.

„Ja, das war eben der Jammer. Sie ist doch nicht mein
10 Schatz geworden. Seit ich manchmal mit ihrem Bruder heim=
kam, wurde ich schlechter von ihr behandelt, wie wenn ich
jetzt weniger wäre als früher, und erst als ich schon zwei
Monate in der Volksschule saß, wurde mir die Wahrheit
bekannt. Ich streunte eines Abends spät im Wald herum,
15 und wie ich's schon mehrmals getan hatte, behorchte ich ein
Liebespaar auf einer Bank, und als ich schließlich mich näher
drückte, da war es die Franziska mit einem Mechaniker=
gesellen. Sie haben gar nicht auf mich geachtet, er hatte den
Arm um ihren Hals gelegt und in der Hand eine Zigarette,
20 und kurz, es war scheußlich. Da war also alles vergebens
gewesen."

Machold klopfte seinem Freund auf die Schulter.

„Na, vielleicht war's für dich doch das beste."

Aber Knulp schüttelte energisch den scharfen Kopf.

25 „Nein, gar nicht. Ich möchte heute noch meine rechte Hand
drum geben, wenn das anders gegangen wäre. Sag' mir
nichts über die Franziska, ich lasse nichts auf sie kommen.
Und wenn es richtig gegangen wäre, dann hätte ich die Liebe
auf eine schöne und glückliche Art kennengelernt, und viel=
30 leicht hätte mir das geholfen, daß ich auch mit der Volks=
schule und mit meinem Vater im guten zurecht gekommen
wäre. Denn — wie soll ich's sagen? — schau, seither habe
ich manche Freunde und Bekannte und Kameraden und auch
Liebschaften gehabt; aber ich habe nie mehr mich auf das

Wort eines Menschen verlassen oder mich selber durch ein
Wort gebunden. Niemals mehr. Ich habe mein Leben gehabt, wie es mir paßte, und es hat mir nicht an Freiheit und
an Schönem gefehlt, aber ich bin doch immer allein geblieben."

Er griff nach dem Glase, sog mit Sorgfalt den letzten
kleinen Schluck Wein und stand auf.

„Wenn du erlaubst, leg' ich mich wieder hin, ich mag nimmer davon reden. Du hast gewiß auch noch zu tun."

Der Doktor nickte.

„Noch etwas, du! Ich will heute um einen Platz im Spital
für dich schreiben. Es paßt dir vielleicht nicht, aber da ist
nichts zu ändern. Du gehst kaputt, wenn du nicht schnell
in eine Pflege kommst."

„Ach was", rief Knulp mit ungewohnter Heftigkeit, „so
laß mich halt kaputt gehen! Es nützt ja doch nichts mehr,
das weißt du selber. Warum soll ich mich jetzt noch ein-
sperren lassen?"

„Nicht so, Knulp, sei doch vernünftig! Ich wäre ein miserabler Doktor, wenn ich dich so herumlaufen ließe. In Oberstetten fänden wir sicher Platz für dich, und du kriegst extra
einen Brief von mir mit, und nach acht Tagen komm' ich
selber einmal und seh' nach dir. Ich verspreche dir's."

Der Landstreicher sank auf seinen Sitz zurück, es schien
fast, als wäre er nahe am Weinen, und rieb seine dünnen
Hände ineinander wie ein Frierender. Dann sah er dem Doktor flehentlich und kindlich in die Augen.

„Also denn", sagte er ganz leise. „Es ist ja nicht recht von
mir, du hast so viel für mich getan, und sogar Rotwein —
es war alles viel zu gut und fein für mich. Du mußt mir
nicht bös sein, ich habe noch eine große Bitte an dich."

Machold klopfte ihm begütigend auf die Schulter.

„Sei gescheit, Alter! Es will dir niemand an den Kragen.
Also, was ist's?"

„Bist du mir nicht bös?"

„Gar nicht. Warum auch?"

„Dann bitt' ich dich, Machold, dann mußt du mir einen
großen Gefallen tun. Schick' mich nicht nach Oberstetten!
Wenn ich doch in so ein Spital muß, dann möcht' ich wenig=
5 stens nach Gerbersau, da kennt man mich, und ich bin dort
daheim. Vielleicht ist es auch wegen der Armenpflege besser,
ich bin ja dort geboren, und überhaupt —"

Seine Augen bettelten mit Inbrunst, er konnte vor Er=
regung kaum sprechen.

10 Er hat Fieber, dachte Machold. Und er sagte ruhig: „Wenn
das alles ist, was du zu bitten hast — das wird bald in
Ordnung sein. Du hast ganz recht, ich will nach Gerbersau
schreiben. Geh du jetzt und lege dich hin, du bist müd' und
hast zuviel gesprochen."

15 Er sah ihm nach, wie er schleppend ins Haus ging, und
mußte plötzlich an den Sommer denken, da Knulp ihn im
Forellenfangen unterrichtet hatte, an seine kluge, beherrschende
Art, mit Kameraden umzugehen, an die hübsche zwölfjährige
Glut des rassigen Buben.

20 Armer Kerl, dachte er mit einer Rührung, die ihn störte,
und erhob sich rasch, um an die Arbeit zu gehen.

Der nächste Morgen brachte Nebel, und Knulp blieb den
ganzen Tag im Bett. Der Doktor legte ihm einige Bücher
hin, die er aber kaum berührte. Er war verdrossen und be=
25 drückt, denn seit er Sorgfalt, Pflege, gutes Bett und zarte
Kost genoß, spürte er deutlicher als zuvor, daß es mit ihm
zu Ende gehe.

Wenn ich noch eine Weile so liege, dachte er unmutig,
dann komme ich nicht mehr auf. Es war ihm wenig mehr
30 ums Leben zu tun, die Landstraße hatte in den letzten Jahren
viel von ihrem Zauber verloren. Aber sterben wollte er nicht,
ehe er Gerbersau wiedergesehen und allerlei heimlichen Ab=
schied dort genommen hätte, von Fluß und Brücke, vom

Marktplatz und vom einstigen Garten seines Vaters, und
auch von jener Franziska. Seine späteren Liebschaften waren
vergessen, wie denn überhaupt die lange Reihe seiner Wander-
jahre ihm jetzt klein und unwesentlich erschien, während die
geheimnisvollen Zeiten der Knabenschaft einen neuen Glanz 5
und Zauber gewannen.

Aufmerksam betrachtete er das einfache Gastzimmer; er
hatte in vielen Jahren nicht so prächtig gewohnt. Er studierte
mit sachlichem Blick und tastenden Fingern das Gewebe der
Bettleinwand, die weiche, ungefärbte Wolldecke, die feinen 10
Kissenbezüge. Auch der hartholzene Fußboden interessierte
ihn, und die Photographie an der Wand, die den Dogen-
palast in Venedig vorstellte und in Glasmosaik gerahmt war.

Dann lag er wieder lange mit offenen Augen, ohne etwas
zu sehen, müde und nur mit dem beschäftigt, was still in 15
seinem kranken Leibe vorging. Aber plötzlich fuhr er wieder
auf, beugte sich schnell aus dem Bett und angelte mit
hastigen Fingern seine Stiefel her, um sie sorgfältig und
sachkundig zu untersuchen. Gut waren sie nicht mehr, aber
es war Oktober, und bis zum ersten Schnee würden sie noch 20
aushalten. Und nachher war doch alles aus. Es kam ihm
der Gedanke, er könnte Machold um ein Paar alte Schuhe
bitten. Aber nein, der würde nur mißtrauisch werden; ins
Spital braucht man kein Schuhwerk. Vorsichtig tastete er die
brüchigen Stellen im Oberleder ab. Wenn das gut mit Fett 25
behandelt wurde, mußte es mindestens noch einen Monat
halten. Die Sorge war überflüssig; vermutlich würde dies
alte Paar Schuhe ihn überdauern und noch im Dienste sein,
wenn er selbst schon von der Landstraße verschwunden war.

Er ließ die Stiefel fallen und versuchte tief zu atmen, es 30
tat ihm aber weh und machte ihn husten. Da blieb er still
und wartend liegen, atmete in kleinen Zügen und hatte
Angst, es möchte schlimm mit ihm werden, ehe er sich seine
letzten Wünsche erfüllt hätte.

Er versuchte an den Tod zu denken, wie schon manchmal,
aber sein Kopf ermüdete daran, und er fiel in Halbschlummer. Nach einer Stunde erwachend, meinte er tagelang geschlafen zu haben und fühlte sich frisch und still. Er dachte
5 an Machold, und es fiel ihm ein, er müsse ihm ein Zeichen
seiner Dankbarkeit dalassen, wenn er fortginge. Er wollte
ihm eins von seinen Gedichten aufschreiben, weil der Doktor
gestern einmal danach gefragt hatte. Aber er konnte sich auf
keines ganz besinnen, und keines gefiel ihm. Durchs Fenster
10 sah er im nahen Wald den Nebel stehen und starrte lange
hinüber, bis ihm ein Gedanke kam. Mit einem Bleistiftende,
das er gestern im Hause gefunden und mitgenommen hatte,
schrieb er auf das saubere weiße Papier, mit dem die Schublade seines Nachttisches ausgelegt war, einige Zeilen:

15   Die Blumen müssen
                     Alle verdorren,
                     Wenn der Nebel kommt,
                     Und die Menschen
                     Müssen sterben,
20   Man legt sie ins Grab.

                     Auch die Menschen sind Blumen,
                     Sie kommen alle wieder,
                     Wenn ihr Frühling ist.
                     Dann sind sie nimmer krank,
25   Und alles wird verziehen.

Er hielt inne und las, was er geschrieben hattte. Es war
kein richtiges Lied, die Reime fehlten, aber es stand doch das
darin, was er hatte sagen wollen. Und er netzte den Blei-
stift an den Lippen und schrieb darunter: „Für Herrn Doktor
30 Machold, Wohlgeboren, von seinem dankbaren Freunde K."
    Dann legte er das Blatt in die kleine Schublade.
    Andern Tages war der Nebel noch dicker geworden, aber
es war eine strengkühle Luft, und man konnte am Mittag
auf Sonne hoffen. Der Doktor ließ Knulp aufstehen, da er

flehentlich danach verlangte, und erzählte, daß im Gerbers=
auer Spital Platz für ihn sei und er dort erwartet werde.

„Da will ich gleich nach dem Mittagessen marschieren",
meinte Knulp, „vier Stunden brauche ich doch, vielleicht fünf."

„Das fehlt noch!" rief Machold lachend. „Fußwandern 5
ist jetzt nichts für dich. Du fährst mit mir im Wagen, wenn
wir sonst keine Gelegenheit finden. Ich schicke einmal zum
Schulzen hinüber, der fährt vielleicht mit Obst oder mit Kar=
toffeln in die Stadt. Auf einen Tag kommt es jetzt auch
nimmer an."   10

Der Gast fügte sich, und als man erfuhr, daß morgen der
Schulzenknecht mit zwei Kälbern nach Gerbersau fahre,
wurde beschlossen, Knulp sollte mit ihm fahren.

„Einen wärmeren Rock könntest du aber auch brauchen",
sagte Machold, „kannst du einen von mir tragen? Oder ist 15
der zu weit?"

Er hatte nichts dagegen, der Rock wurde geholt, probiert
und gut befunden. Knulp aber, da der Rock von gutem Tuch
und wohlbehalten war, machte sich in seiner alten Kinder=
eitelkeit sogleich daran, die Knöpfe zu versetzen. Belustigt 20
ließ ihn der Doktor machen und gab ihm noch einen Hemd=
kragen dazu.

Am Nachmittag probierte Knulp in aller Heimlichkeit seine
neue Kleidung, und da er nun wieder so gut aussah, begann
es ihm leid zu tun, daß er sich in der letzten Zeit nicht mehr 25
rasiert hatte. Er wagte nicht, die Haushälterin um des Dok=
tors Rasierzeug zu bitten, aber er kannte den Schmied im
Dorf und wollte dort einen Versuch machen.

Bald hatte er die Schmiede gefunden; er trat in die Werk=
statt und sagte den alten Handwerksgruß: „Fremder Schmied 30
spricht um Arbeit zu."

Der Meister sah ihn kalt und prüfend an.

„Du bist kein Schmied", sagte er gelassen. „Das mußt du
einem andern weismachen."

„Richtig", lachte der Landstreicher. „Du haft noch gute
Augen, Meister, und doch kennst du mich nicht. Weißt du,
ich bin früher Musikant gewesen, und du haft in Haiterbach
manchen Samstagabend zu meiner Handorgel getanzt."

5 Der Schmied zog die Augenbrauen zusammen und tat
noch ein paar Stöße mit der Feile, dann führte er Knulp
ans Licht und sah ihn mit Aufmerksamkeit an.

„Ja, jetzt weiß ich", lachte er kurz. „Du bist also der Knulp.
Man wird halt älter, wenn man sich so lang nicht sieht.
10 Was willst du in Bulach? Auf einen Zehner und auf ein
Glas Most soll's mir nicht ankommen."

„Das ist recht von dir, Schmied, und ich nehm's für genossen an. Aber ich will was anderes. Du könntest mir dein
Rasiermesser für eine Viertelstunde leihen, ich will heut abend
15 zum Tanzen gehen."

Der Meister drohte ihm mit dem Zeigefinger.

„Du bist doch ein Lügenbeutel, ein alter. Ich meine, mit
dem Tanzen wirst du's nimmer wichtig haben, so wie du
aussiehst."

20 Knulp kicherte vergnügt.

„Du merkst doch alles! Schad', daß du kein Amtmann geworden bist. Ja, ich muß also morgen ins Spital, der Machold
schickt mich hin, und da wirst du begreifen, daß ich nicht so
wie ein Zottelbär antreten mag. Gib mir das Messer, in einer
25 halben Stunde hast du's wieder."

„So? Und wo willst du denn hin damit?"

„Zum Doktor hinüber, ich schlafe bei ihm. Gelt, du gibst
mir's?"

Das schien dem Schmied nicht sehr glaubwürdig. Er blieb
30 mißtrauisch.

„Ich geb' dir's schon. Aber weißt du, es ist kein so gewöhnliches Messer, es ist eine echte Solinger Klinge. Die
möcht' ich gern wiedersehen."

„Verlaß dich drauf."

„Ja, schon. Du hast da einen guten Rock an, Freundlein.
Den brauchst du zum Rasieren nicht. Ich will dir was sagen:
zieh ihn aus und laß ihn da, und wenn du mit dem Messer
wiederkommst, kriegst du auch den Rock wieder."

Der Landstreicher verzog das Gesicht.   5

„Also gut. Extra nobel bist du nicht, Schmied. Aber es soll
meinetwegen gelten."

Nun holte der Schmied das Messer, Knulp gab den Rock
zum Pfande, duldete aber nicht, daß der rußige Schmied ihn
anfasse. Und nach einer halben Stunde kam er wieder und   10
gab das Solinger Messer zurück, und sein struppiges Kinnbärtchen war weg, er sah ganz anders aus.

„Jetzt noch ein Nägelein hinters Ohr, dann kannst du weiben gehen", sagte der Schmied voll Anerkennung.

Aber Knulp war nicht mehr zu Scherzen gelaunt, er zog   15
seinen Rock wieder an, sagte kurzen Dank und ging davon.

Auf dem Heimweg traf er vor dem Hause den Doktor,
der ihn verwundert anhielt.

„Wo läufst denn du herum? Ja, und wie siehst du aus!
— Aha, rasiert! Mensch, du bist doch ein Kindskopf!"   20

Aber es gefiel ihm, und Knulp bekam diesen Abend wieder
einen Rotwein zu trinken. Die beiden Schulkameraden feierten Abschied, und jeder war so aufgeräumt wie möglich, und
keiner wollte sich etwas wie eine Beklemmung anmerken lassen.

Zeitig am Morgen kam der Knecht des Schulzen mit dem   25
Wagen vorgefahren, auf dem in Lattenverschlägen zwei Käl-
ber standen, mit den Knien zitterten und grell in den kalten
Morgen starrten. Es lag zum erstenmal Reif auf den Wie-
sen. Knulp wurde zu dem Knecht auf den Bock gesetzt und
bekam eine Decke über die Knie, der Doktor drückte ihm die 30
Hand und schenkte dem Knecht eine halbe Mark; der Wagen
rasselte weg und dem Wald entgegen, während der Knecht
seine Pfeife anzündete und Knulp mit verschlafenen Augen
in die hellblaue Morgenkühle blinzelte.

Aber später kam die Sonne, und der Mittag wurde ganz
warm. Die zwei auf dem Bock unterhielten sich ausgezeichnet,
und als sie in Gerbersau ankamen, wollte der Knecht durch=
aus samt seinem Wagen und den Kälbern den Umweg
5 machen und am Krankenhaus vorfahren. Indessen hatte
Knulp ihm das bald ausgeredet, und sie trennten sich freund=
schaftlich vor der Einfahrt in die Stadt. Da blieb Knulp
stehen und sah dem Wagen nach, bis er unter den Ahornen
beim Viehmarkt verschwand.

10 Er lächelte und schlug einen Heckenpfad zwischen den Gär=
ten ein, den nur Einheimische kannten. Er war wieder frei!
Im Spital mochten sie warten.

Noch einmal kostete der Heimgekehrte das Licht und den
Duft, die Geräusche und Gerüche der Heimat und die ganze
15 erregende und sättigende Vertrautheit des Daheimseins. Mit
allen Sinnen schlürfte der Heimatlose den vielfältigen Zau=
ber des Zuhauseseins, des Kennens, des Wissens, des Sich=
erinnerns, der Kameradschaft mit jeder Straßenecke und
jedem Prellstein. Schlendernd und unermüdet war er den
20 ganzen Nachmittag in allen Gassen unterwegs, belauschte
den Messerschleifer am Fluß, sah dem Drechsler durchs Fen=
ster seiner Werkstatt zu, las auf neugemalten Schildern die
alten Namen wohlbekannter Familien. Er vergaß nichts,
nicht die Kirchenlinde mit dem kleinen Rasenstück und nicht
25 das Wehr der oberen Mühle, seinen einstigen Lieblingsbade=
platz. Er blieb vor dem Häuschen stehen, in dem vorzeiten
sein Vater gewohnt hatte, lehnte sich eine kleine Weile zärt=
lich mit dem Rücken an die alte Haustür und suchte auch
den Garten auf. Hier hatte Knulp seine besten Tage gehabt,
30 noch ehe er sich aus der Lateinschule hatte wegjagen lassen,
hier hatte er einst ein volles Glück, Erfüllungen ohne Rest,
Seligkeiten ohne Bitternisse gekostet. Dieses Stück Welt hatte
ihm gehört, war von ihm in tiefster Vertrautheit gekannt

und geliebt worden; hier hatte jeder Strauch und jeder
Gartenhag Bedeutung, Sinn, Geschichten für ihn gehabt,
jeder Regen= und Schneefall zu ihm gesprochen. Und heute
noch, dachte Knulp, war vielleicht hier ringsum kein Hausbewohner und kein Gartenbesitzer, dem dies alles mehr an= 5
gehört hätte als ihm, dem es mehr wert war, mehr sagte,
mehr Antwort gab, mehr Erinnerungen weckte.

Zwischen nahen Dächern stach hoch und spitzig der graue
Giebel eines schmächtigen Hauses empor. Dort hatte vorzeiten
der Gerber Haasis gewohnt, und dort hatten Knulps Kinder= 10
spiele und Knabenwonnen ihr Ende gefunden in den ersten
Heimlichkeiten und zärtlichen Händeln mit Mädchen. Dort
hatte er den Gerberstöchtern die Zöpfe aufgelöst und unter
den Küssen der schönen Franziska getaumelt. Er wollte hinübergehen, später am Abend, oder vielleicht morgen. Jetzt 15
aber lockten diese Erinnerungen ihn wenig, er hätte sie alle
zusammen gerne hingegeben für das Gedächtnis einer einzigen Stunde der früheren, der Knabenzeit.

Eine Stunde und länger verweilte er am Gartenzaun und
schaute hinunter, und was er sah, war nicht der neue, fremde 20
Garten, der dalag und mit dem jungen Beerengesträuch schon
ganz leer und herbstlich aussah. Er sah den Garten seines
Vaters, und seine Kinderblumen im kleinen Beet, und kleine
Gebirge aus Steinchen, auf welchen er hundertmal gefangene
Eidechsen ausgesetzt hatte, unglücklich, daß keine dort bleiben 25
und wohnen und sein Haustier sein wollte, und dennoch
immer wieder voll Erwartung und Hoffnung, wenn er eine
neue mitbrachte. Alle Häuser und Gärten, alle Blumen und
Eidechsen und Vögel der Welt konnte man ihm heute schenken, und es wäre nichts gegen den zaubervollen Glanz einer 30
einzigen Sommerblume, wie sie damals in seinem Gärtchen
wuchs und die köstlichen Blumenblätter leise aus der Knospe
rollte. Und die Johannisbeerbüsche von damals, deren jeden
er noch genau im Gedächtnis hatte! Sie waren fort, sie waren

nicht ewig und unzerstörbar gewesen, irgendein Mann hatte
sie ausgerissen und ausgegraben und ein Feuer draus ge=
macht, Holz und Wurzeln und welke Blätter waren mitein=
ander verbrannt, und niemand hatte darum geklagt.

5   Ja, hier hatte er oft den Machold bei sich gehabt. Der
war jetzt ein Doktor und Herr und fuhr im Einspänner bei
den kranken Leuten herum, und er war wohl auch ein guter
und aufrichtiger Mensch geblieben; aber auch er, auch dieser
kluge und stramme Mann, was war er gegen damals, gegen
10 den gläubigen, scheuen, erwartungsvoll zärtlichen Knaben
von damals? Hier war er Macholds Lehrer und sein größerer,
klügerer, bewunderter Freund gewesen.

Der nachbarliche Fliederbaum war alt und moosig dürr
geworden, und das Lattenhaus im andern Garten war zer=
15 fallen, und man mochte an seine Stelle bauen, was man
wollte, es wurde nie mehr so schön und beglückend und rich=
tig, wie alles einmal gewesen war.

Es begann zu dämmern und kühl zu werden, als Knulp den
vergrasten Gartenweg verließ. Vom neuen Kirchturm, der das
20 Bild der Stadt veränderte, rief eine neue Glocke laut herüber.

Er schlich durchs Tor der Gerberei in den Gerbergarten, es
war Feierabend und niemand zu sehen. Unhörbar schritt er
über den weichen Lohboden an den gähnenden Löchern vor=
über, wo die Häute in der Lauge lagen, und bis zum Mäuer=
25 chen, wo der Fluß schon dunkel an den moosig grünen
Steinen hintrieb. Da war der Ort, an dem er einmal eine
Abendstunde mit Franziska gesessen war, die bloßen Füße
im Wasser plätschernd.

Und wenn sie mich nicht vergebens hätte warten lassen,
30 dachte Knulp, dann wäre alles anders gekommen. Wenn
auch die Lateinschule und das Studieren versäumt war, ich
hätte Kraft und Willen genug gehabt, um doch etwas
zu werden. Wie einfach und klar war das Leben! Damals
hatte er sich weggeworfen und von allem nichts mehr wissen

wollen, und das Leben war darauf eingegangen und hatte
nichts von ihm verlangt. Er war außerhalb gestanden, ein
Bummler und Zaungaſt, beliebt in den guten jungen Jahren,
und allein im Krankſein und Altern.

Es ergriff ihn eine große Müdigkeit, er ſetzte ſich auf dem 5
Mäuerchen nieder, und der Fluß rauſchte dunkel in ſeine Gedanken. Da wurde über ihm ein Fenſter hell, das mahnte
ihn, es ſei ſpät, und man dürfe ihn hier nicht finden. Er
ſchlüpfte lautlos aus dem Lohgarten und aus dem Tor,
knöpfte den Rock zu und dachte ans Schlafen. Er hatte Geld, 10
Der Doktor hatte ihn beſchenkt, und nach kurzem Beſinnen
verſchwand er in einer Herberge. Er hätte in den „Engel"
oder „Schwan" gehen können, wo man ihn kannte und wo
er Freunde gefunden hätte. Aber daran war ihm jetzt nicht
gelegen.
                                                              15

Vieles hatte ſich im Städtchen verändert, was ihn früher
bis ins kleinſte intereſſiert hätte, aber diesmal wollte er nichts
ſehen und wiſſen, als was zur alten Zeit gehörte. Und als
er nach kurzem Fragen erfuhr, daß die Franziska nicht mehr
lebe, da verblaßte alles, und ihm ſchien, er ſei einzig ihret= 20
wegen hergekommen. Nein, es hatte keinen Sinn, hier in den
Gaſſen und zwiſchen den Gärten herumzuſtrolchen und ſich
von denen, die ihn kannten, mitleidige Späße zurufen zu
laſſen. Und als er zufällig in dem engen Poſtgäßlein dem
Oberamtsarzt begegnete, fiel ihm plötzlich ein, man könnte 25
ihn am Ende droben im Krankenhaus vermiſſen und nach
ihm fahnden. Alsbald kaufte er bei einem Bäcker zwei Wecken,
ſtopfte ſie in ſeine Rocktaſchen und ſtieg noch vor Mittag
zur Stadt hinaus eine ſteile Bergſtraße hinan.

Da ſaß hoch oben am Waldrande, an der letzten großen 30
Straßenbiegung, ein ſtaubiger Mann auf einem Steinhaufen
und klopfte mit einem langſtieligen Hammer den graublauen
Muſchelkalk in Stücke.

Knulp sah ihn an, grüßte und blieb stehen.

„Grüß Gott", sagte der Mann und klopfte weiter, ohne den Kopf zu heben.

„Ich meine, das Wetter bleibt nimmer lang", probierte
5 Knulp.

„Kann schon sein", brummte der Steinklopfer und sah einen Augenblick empor, vom Mittagslicht auf der hellen Straße geblendet. „Wo wollt Ihr hinaus?"

„Nach Rom zum Papst", sagte Knulp. „Ist's wohl noch
10 weit?"

„Heute kommt Ihr nimmer hin. Wenn Ihr überall stehen bleiben müßt und die Leute in der Arbeit stören, dann er lauft Ihr's in keinem Jahr."

„So, meint Ihr? Na, eilig hab' ich's nicht, Gott sei Dank.
15 Ihr seid ein fleißiger Mann, Herr Andres Schaible."

Der Steinklopfer hielt die Hand über die Augen und musterte den Wanderer.

„Ihr kennt mich also", sagte er bedächtig, „und ich kenn' Euch auch, will mir scheinen. Bloß auf den Namen muß ich
20 noch kommen."

„Da müßt Ihr den alten Krabbenwirt fragen, wo wir Anno neunzig allemal unseren Sitz gehabt haben. Aber der wird nimmer leben."

„Schon lang nimmer. Aber jetzt tagt mir's, alter Kunde.
25 Du bist der Knulp. Setz' dich ein bißchen her, und grüß Gott auch!"

Knulp setzte sich, er war zu rasch gestiegen und atmete mit Beschwerden; er sah erst jetzt, wie schön in der Tiefe das Städtchen lag.

30 „Du hast es nett hier droben", sagte er aufatmend.

„Es geht so, ich kann nicht klagen. Und du? Früher ist's leichter den Berg 'raufgegangen, gelt? Du schnaufst ja heil= los, Knulp. Hast wieder einmal die Heimat besucht?"

„Jawohl, Schaible, es wird das letztemal sein."

„Und warum denn?"

„Weil halt die Lunge kaputt ist. Weißt du nix dagegen?"

„Daheim geblieben wenn du wärst, mein Lieber, und hät=
test brav geschafft und hättest Weib und Kinder und jeden
Abend dein Bett, dann wär's vielleicht anders mit dir. Na, 5
darüber weißt du meine Meinung von früher her. Da kann
man jetzt nichts machen. Ist's denn so schlimm?"

„Ach, ich weiß nicht. — Oder doch, ich weiß schon. Es geht
halt den Berg hinunter, und jeden Tag ein bißchen schneller.
Da ist's dann wieder ganz gut, wenn man für sich allein ist 10
und niemand zur Last fällt."

„Wie man's nimmt; das ist deine Sache. Es tut mir aber
leid."

„Ist nicht nötig. Gestorben muß einmal sein, es kommt
sogar an die Steinklopfer. Ja, alter Kunde, da sitzen jetzt wir 15
zwei und können uns beide nicht viel einbilden. Du hast ja
auch einmal andere Gedanken im Kopf gehabt. Hast du nicht
damals zur Eisenbahn gewollt?"

„Ach, das sind alte Geschichten."

„Und deine Kinder sind gesund?" 20

„Ich weiß nichts andres. Der Jakob verdient jetzt schon."

„So? Ha, die Zeit vergeht. Ich will, glaub' ich, jetzt auch
ein wenig weiter."

„Es pressiert nicht so. Wenn man sich so lang nimmer
gesehen hat! Sag', Knulp, kann ich dir mit etwas helfen? 25
Viel hab' ich nicht bei mir, es wird eine halbe Mark sein."

„Die kannst du selber brauchen, Alterle. Nein, danke schön."

Er wollte noch etwas sagen, aber es wurde ihm elend
ums Herz, und er schwieg, und der Steinklopfer gab ihm
aus seiner Mostflasche zu trinken. Sie blickten eine Weile auf 30
die Stadt hinunter, ein Sonnenspiegel im Mühlkanal blitzte
kräftig herauf, über die Steinbrücke fuhr langsam ein Last=
wagen, und unterm Wehr schwamm lässig ein weißes Gänse=
geschwader.

„Jetzt hab' ich ausgeruht und muß weiter", fing Knulp wieder an.

Der Steinklopfer saß in Gedanken und schüttelte den Kopf.

„Hör', du, du hättest mehr werden können als so ein armer
5 Teufel von Pennbruder", sagte er langsam. „Es ist doch sündenschad um dich. Weißt du, Knulp, ich bin gewiß kein Betbruder, aber ich glaube halt doch, was in der Bibel steht. Du mußt auch daran denken. Du wirst dich verantworten müssen, es wird nicht so leicht gehn. Du hast Gaben gehabt,
10 bessere als ein anderer, und es ist doch nichts aus dir geworden. Du darfst mir's nicht zürnen, wenn ich das sage."

Jetzt lächelte Knulp, und ein Schimmer von der alten harmlosen Schelmerei stand in seinen Augen. Er klopfte seinem Kameraden freundlich auf den Arm und stand auf.
15 „Wir werden ja sehen, Schaible. Der liebe Gott fragt mich vielleicht gar nicht: Warum bist du nicht Amtsrichter geworden? Vielleicht sagt er auch bloß: Bist wieder da, du Kindskopf? und gibt mir droben eine leichte Arbeit, Kinderhüten oder so."

20 Andres Schaible zuckte die Achseln unter dem blau und weiß gewürfelten Hemde.

„Mit dir kann man nicht im Ernst reden. Du meinst, wenn der Knulp kommt, da wird der Herrgott nichts als Späße machen."

„Ach nein. Aber es könnte doch sein, nicht?"
25 „Red' nicht so!"

Sie gaben sich die Hände, und dabei steckte der Steinklopfer ihm ein kleines Geldstück zu, das er verstohlen aus seiner Hosentasche gegraben hatte. Und Knulp nahm es an und wehrte sich nimmer, um dem anderen nicht seine Freude zu
30 verderben.

Er warf noch einen Blick in das alte heimatliche Tal, nickte noch einmal zu Andres Schaible zurück, dann begann er zu husten und machte schnellere Schritte und war alsbald um die obere Waldecke verschwunden.

Vierzehn Tage später, nachdem es auf nebelkalte Tage
noch sonnige mit späten Glockenblumen und Brombeeren
gegeben hatte, brach plötzlich der Winter herein. Es gab
strengen Frost und darauf am dritten Tage bei milderer Luft
einen schweren, hastigen Schneefall.

Knulp war diese ganze Zeit unterwegs gewesen, auf ziel=
loser Streife immer im Umkreis der Heimat, und noch zwei=
mal hatte er aus nächster Nähe, im Walde verborgen, den
Steinklopfer Schaible gesehen und beobachtet, ohne ihn noch=
mals anzurufen. Er hatte zu viel zu denken gehabt und war
auf allen den langen, mühsamen, nutzlosen Wegen immer
tiefer in das Gewirre seines verfehlten Lebens geraten wie
in zähe Dornranken, ohne den Sinn und Trost dazu zu
finden. Dann war die Krankheit von neuem über ihn ge=
kommen, und wenig fehlte, so wäre er eines Tages trotz
allem doch noch in Gerbersau erschienen und hätte am
Krankenhaus angeklopft. Aber als er nach tagelangem Allein=
sein wieder die Stadt unten liegen sah, da klang ihm alles
fremd und feindlich entgegen, und es ward ihm klar, daß er
nimmer dorthin gehöre. Zuweilen kaufte er in einem Dorf
ein Stück Brot, auch gab es noch Haselnüsse genug. Die
Nächte brachte er in den Blockhütten der Waldarbeiter oder
zwischen Strohbündeln auf dem Felde zu.

Jetzt kam er im dichten Schneetreiben vom Wolfsberg her=
über gegen die Talmühle gegangen, verfallen und todes=
müde und dennoch immerzu auf den Beinen, als müsse er
den kleinen Rest seiner Tage noch mächtig ausnützen und
laufen, laufen, allen Waldrändern und Schneisen nach. So
krank und müde er war, seine Augen und seine Nüstern
hatten die alte Beweglichkeit behalten; äugend und schnup=
pernd wie ein feinfühliger Jagdhund stellte er auch jetzt noch,
da es keine Ziele mehr für ihn gab, jede Bodensenkung, jeden
Windhauch, jede Tierspur fest. Sein Wille war nicht dabei,
und seine Beine gingen von selber.

In seinen Gedanken aber stand er jetzt wieder, wie seit
einigen Tagen fast immerzu, vor dem lieben Gott und sprach
unaufhörlich mit ihm. Furcht hatte er keine; er wußte, daß
Gott uns nichts tun kann. Aber sie sprachen miteinander,
5 Gott und Knulp, über die Zwecklosigkeit seines Lebens, und
wie das hätte anders eingerichtet werden können, und warum
dies und jenes so und nicht anders habe gehen müssen.

„Damals ist es gewesen", beharrte Knulp immer wieder,
„damals, wie ich vierzehn Jahre alt war und die Franziska
10 mich im Stich gelassen hat. Da hätte noch alles aus mir
werden können. Und dann ist irgend etwas in mir kaputt
gegangen oder verpfuscht worden, und von da an habe ich
eben nichts mehr getaugt. — Ach was, der Fehler ist einfach
der gewesen, daß du mich nicht mit vierzehn Jahren hast
15 sterben lassen! Dann wäre mein Leben so schön und vollkommen gewesen wie ein reifer Apfel."

Der liebe Gott aber lächelte immerzu, und manchmal verschwand sein Gesicht ganz in dem Schneetreiben.

„Na, Knulp", sagte er ermahnend, „denk einmal an deine
20 Jungeburschenzeit, und an den Sommer im Odenwald, und
an die Lächstetter Zeiten! Hast du da nicht getanzt wie ein
Reh und hast das schöne Leben in allen Gelenken zucken ge-
fühlt? Hast du nicht singen können und Harmonika spielen,
daß den Mädchen die Augen übergelaufen sind? Weißt du
25 noch die Sonntage in Bauerswil? Und deinen ersten Schatz,
die Henriette? Ja, ist denn das alles nichts gewesen?"

Knulp mußte nachdenken, und wie ferne Bergfeuer strahlten ihm die Freuden seiner Jugend dunkelschön herüber und
dufteten schwer und süß wie Honig und Wein. Herrgott,
30 es war schön gewesen, schön die Lust und schön die Trauer,
und es wäre jammerschade um jeden Tag gewesen, der gefehlt hätte!

„Ach ja, es war schön", gab er zu und war doch voll
Weinerlichkeit und Widerspruch wie ein müdes Kind. „Es

war schön damals. Freilich, Schuld und Traurigkeit ist auch
schon dabei gewesen. Aber es ist wahr, es sind gute Jahre
gewesen, und vielleicht haben nicht viele solche Becher aus-
getrunken und solche Tänze angeführt und solche Liebes-
nächte gefeiert, wie ich dazumal. Aber dann, dann hätte es 5
aus sein sollen! Schon dort war ein Stachel im Glück, ich
weiß noch wohl, und dann sind niemals mehr so gute Zeiten
gekommen. Nein, niemals mehr."

Der liebe Gott war weit im Schneegewehe verschwunden.
Nun, da Knulp ein wenig stehenblieb, um wieder zu Atem 10
zu kommen und ein paar kleine Blutflecke in den Schnee zu
spucken, nun war Gott unversehens wieder da und gab
Antwort.

„Sag einmal, Knulp, bist du nicht ein wenig undankbar?
Ich muß lachen, wie vergeßlich du geworden bist! Wir 15
haben uns an die Zeit erinnert, wo du der Tanzbodenkönig
warst, und an deine Henriette, und du hast zugeben müssen:
es war gut und schön, es hat wohlgetan und einen Sinn
gehabt. Und wenn du so an die Henriette denkst, mein Lieber,
wie willst du dann gar an Lisabeth denken? Ja, hast du denn 20
die ganz vergessen können?"

Und wieder stand wie ein fernes Gebirge ein Stück Vergangenheit vor Knulps Augen, und wenn es nicht ganz so
froh und lustig aussah wie das vorige, so glänzte es dafür
viel heimlicher und inniger, wie Frauen lächeln zwischen 25
Tränen, und es standen Tage und Stunden aus ihren Grä-
bern auf, an die er lange nimmer gedacht hatte. Und mitten
inne stand Lisabeth, mit schönen, traurigen Augen, den
kleinen Buben auf dem Arm.

„Was für ein schlechter Kerl bin ich gewesen!" fing er 30
wieder zu klagen an. „Nein, seit die Lisabeth tot ist, hätte ich
auch nimmer leben dürfen."

Aber Gott ließ ihn nicht weiterreden. Er sah ihn durchdringend aus den hellen Augen an und fuhr fort: „Hör'

auf, Knulp! Du hast der Lisabeth sehr weh getan, das ist
nicht anders, aber du weißt wohl, sie hat doch mehr Zartes
und Schönes von dir empfangen als Böses, und sie hat dir
nicht einen Augenblick gezürnt. Siehst du denn immer noch
5 nicht, du Kindskopf, was der Sinn von dem allen war?
Siehst du nicht, daß du deswegen ein Leichtfuß und ein
Vagabund sein mußtest, damit du überall ein Stück Kinder=
torheit und Kinderlachen hintragen konntest? Damit überall
die Menschen dich ein wenig lieben und dich ein wenig hän=
10 seln und dir ein wenig dankbar sein mußten?"

„Es ist am Ende wahr", gab Knulp nach einigem Schwei=
gen halblaut zu. „Aber das ist alles früher gewesen, da war
ich noch jung! Warum hab' ich aus dem allen nichts gelernt
und bin kein rechter Mensch geworden? Es wäre noch Zeit
15 gewesen."

Es gab eine Pause im Schneefall. Knulp rastete wieder
einen Augenblick und wollte den dicken Schnee von Hut und
Kleidern schütteln. Aber er kam nicht dazu, er war zerstreut
und müde, und Gott stand jetzt nahe vor ihm, seine lichten
20 Augen waren weit offen und strahlten wie die Sonne.

„Nun sei einmal zufrieden", mahnte Gott, „was soll das
Klagen nützen? Kannst du wirklich nicht sehen, daß alles
gut und richtig zugegangen ist und daß nichts hätte anders
sein dürfen? Ja, möchtest du denn jetzt ein Herr oder ein
25 Handwerksmeister sein und Frau und Kinder haben und
am Abend das Wochenblatt lesen? Würdest du nicht sofort
wieder davonlaufen und im Wald bei den Füchsen schlafen
und Vogelfallen stellen und Eidechsen zähmen?"

Wieder fing Knulp zu gehen an, er schwankte vor Müdig=
30 keit und spürte doch nichts davon. Es war ihm viel wohler
zumute geworden, und er nickte dankbar zu allem, was Gott
ihm sagte.

„Sieh", sprach Gott, „ich habe dich nicht anders brauchen
können, als wie du bist. In meinem Namen bist du ge=

wandert und haſt den ſeßhaften Leuten immer wieder ein
wenig Heimweh nach Freiheit mitbringen müſſen. In mei=
nem Namen haſt du Dummheiten gemacht und dich ver=
ſpotten laſſen; ich ſelber bin in dir verſpottet und bin in dir
geliebt worden. Du biſt ja mein Kind und mein Bruder 5
und ein Stück von mir, und du haſt nichts gekoſtet und nichts
gelitten, was ich nicht mit dir erlebt habe."

„Ja", ſagte Knulp und nickte ſchwer mit dem Kopf. „Ja,
es iſt ſo, ich habe es eigentlich immer gewußt."

Er lag ruhend im Schnee, und ſeine müden Glieder waren 10
ganz leicht geworden, und ſeine entzündeten Augen lächelten.

Und als er ſie ſchloß, um ein wenig zu ſchlafen, hörte er
noch immer Gottes Stimme reden und ſah noch immer in
ſeine hellen Augen.

„Alſo iſt nichts mehr zu klagen?" fragte Gottes Stimme. 15
„Nichts mehr", nickte Knulp und lachte ſchüchtern.

„Und alles iſt gut? Alles iſt, wie es ſein ſoll?"

„Ja", nickte er, „es iſt alles, wie es ſein ſoll."

Gottes Stimme wurde leiſer und tönte bald wie die ſeiner
Mutter, bald wie Henriettes Stimme, bald wie die gute, 20
ſanfte Stimme der Liſabeth.

Als Knulp die Augen nochmals auftat, ſchien die Sonne
und blendete ſo ſehr, daß er ſchnell die Lider ſenken mußte.
Er ſpürte den Schnee ſchwer auf ſeinen Händen liegen und
wollte ihn abſchütteln, aber der Wille zum Schlaf war ſchon 25
ſtärker als jeder andere Wille in ihm geworden.

EXERCISES

EXERCISES[1]

Vorfrühling

I

A. Fragen

3. Wo mußte Knulp mehrere Wochen liegen? Wann spürte er wieder Fieber? Worauf mußte er bedacht sein? Bei wem klopfte er an? Woran erinnerte sich Knulp? Was tat Rothfuß nun? 4. Wovon war noch etwas übrig? Seit wann hatte Knulp das Haus nicht betreten? Wo blieb Knulp einen Augenblick stehen? Beschreiben Sie die Wohnstube! 5. Von wem hat der Meister oft gesprochen? Was brachte die Meisterin auf einem Zinnteller? Welche Inschrift lief um das Brotbrett? Was hatte Knulp den Rothfuß gefragt? Was schenkte Frau Rothfuß voll? Was rief der galante Knulp? 6. Was hatte die Frau Meisterin längst bemerkt? Was hat sie gelernt? Was nahm die Hausfrau mit Gefallen wahr? Was mußte Knulp bekennen? 7. Was bot Rothfuß dem Knulp an? Wie lange wollte Knulp auf alle Fälle bleiben? Wozu hatte er kein Talent? Was sah der Gerbermeister an? Was war eine von Knulps Liebhabereien? 8. Wohin begleitete Rothfuß den Knulp? Wo mußte dieser manchmal schlafen? Was könnte er schon lange sein?

B. Translation

3. One evening Knulp knocks at the door of his friend Rothfuss. 4. The tanner comes down and opens the door. He is

---

[1] The numbers in the exercises refer to the pages in the text.

married now, and his wife does not know Knulp. 5. Soon she
comes into the room with some bread and sausage. Later
she brings in a pitcher of cider and puts glasses on the table.
6. Knulp is always polite and has fine manners. But he does
not look especially well. He had lain in a hospital several weeks.
7. He postpones the discussion of these things until the next
day. He does not like to make plans, but must have free disposition of each coming day. 8. Rothfuss shows Knulp his bed
and Knulp undresses. He does not always have such a nice bed
to sleep in.

II

A. Fragen

8. Warum blieb Knulp am anderen Tage im Bett liegen?
9. Was fühlte er entschwinden? Warum trat Rothfuß leise
auf? Wann wollte Knulp wieder aufstehen? Wann klopfte
es an der Kammertür? Wovon ließ Knulp sich nichts merken? Warum blieb die Meisterin eine Weile stehen? 10. Was
glitt ihr vom Teller? Wovon hat Knulp gerade geträumt?
Wann wurde es ihm langweilig? Wozu hatte er Lust?
Wo stellte er sich auf? 11. Worüber erkundigte er sich?
Was tat Frau Rothfuß während dieser Zeit? Wohin ging
sie mit der Küchenlampe? An welche Tür klopfte es? Was
tat sie, da keine Antwort kam? Wann lief sie verwirrt in
die Küche zurück? 12. Wozu fand sie nicht den Mut? Was
hat Knulp schon vom Marktplatz her gerochen? Wessen
rühmte sich Rothfuß? Wodurch gab die Meisterin dem Gaste
ihre gute Meinung kund? Was tat Knulp, als es zehn Uhr
schlug?

B. Translation

8. The next morning Knulp is still somewhat weak, but he
is quiet and satisfied. 9. He listens to the beating of the rain on
the roof. Later the tanner's wife knocks gently. She enters with
a bowl of coffee. Knulp hears her come in, but he stays in bed

and closes his eyes. She looks at the handsome sleeper. 10. Then
she bends forward a little to see his whole face. The spoon slips
from the plate and falls on the floor. He opens his eyes and
she runs out of the room quickly. He gets up, dresses himself
and slips out of the house unnoticed. He walks through the
town and sees many old acquaintances. 11. Frau Rothfuss goes
up again and knocks gently on Knulp's door, but she hears
no answer. She opens the door cautiously and walks in on
her tiptoes. She finds everything quiet and the room empty.
12. When Knulp comes back, they sit down to eat. After the
clock strikes ten, Knulp goes to his room.

III

A. Fragen

12. Warum lehnte Knulp sich in das Fensterchen? 13. Wo
wurde plötzlich ein Fensterchen hell? Was sah Knulp?
Warum blies Knulp sein Licht aus? Beschreiben Sie die
junge Magd! Worin suchte sie einen flüchtigen Trost?
14. Was schob sie noch ein wenig hinaus? Was schien
Knulp unrecht? Was hätte er gern getan? Was begann er
statt dessen zu üben? Was tat das Mädchen beim dritten
Vers? 15. Warum sind Knulp und die Jungfer Landsleute?
Wie lange ist die Jungfer schon in Lächstetten? Warum
wurde sie ganz eifrig? Wann kann Knulp ihr eine Karte
schreiben? 16. Wie ruft man die Jungfer daheim? Was tat
sie, als es stille wurde?

B. Translation

◄ 12. From his window he can seee verything in the neighbor's
house. 13. A young girl comes into her room with a candle in
her hand. She has a pleasant face, but she looks sad and worried.
14. It seems almost cruel to Knulp to watch her. He therefore
begins to whistle gently. She steps to the window and they talk
to each other. 15. She is from the Black Forest and does not

quite like it here. Knulp begs her to tell him her name. He will
perhaps write to her when he goes away. 16. The name Barbara is hard to pronounce, so he calls her Bärbele.

IV

A. Fragen

16. Wann ſtand Knulp auf? Wo war es ſchon warm?
17. Was gab Knulp nicht zu? Was täte er am liebſten? Wo
hörte man den Alten? Wie ſah die Wohnſtube aus? Wohin begleitete Knulp den Meiſter? Warum war dieſer ganz
erſtaunt? 18. Warum konnte Knulp dem Gerber nicht helfen? Wohin will er gehen? Wer hat es in vielem beſſer?
Wann war es eine Ehre, Knulp aufzunehmen? 19. Wen
kannte er in der Vorſtadt? Wo fand er ihn? Worauf
ſetzte er ſich nieder? Was ſetzte er an ſeinem Anzug wieder
inſtand? 20. Wie lange ſchuftet der Schneider? Warum iſt
Knulp zu Schlotterbeck gekommen? Warum kann er jetzt
beſſer mitreden? Wovon iſt ihm. venig geblieben? Was
für Sachen ſtehen in der Bibel? 21. Was will Knulp mit
dem Bügeleiſen tun? Warum nahm ihm der Freund das
Eiſen aus der Hand? Was muß ein jeder ſich ſelbſt aus-
denken? Wie iſt Knulp die Bibel ſtellenweiſe vorgekommen?
22. Was wünſchte er dem Schneider noch zu ſagen, ehe er
ging? Warum muß Schlotterbeck lieb und luſtig mit ſeinen
Kindern ſein? Was erzählt Knulp dem Schneider von ſeinem
eigenen kleinen Buben?

B. Translation

16—17. Knulp gets up early the next morning. He accompa-
nies Rothfuss to the tannery. 18. Six or seven years ago they wandered together. Rothfuss then told Knulp many thing sabou-
his trade. Knulp wants to help the tanner a little, but it is damp
in the tannery and he still coughs. He therefore leaves the yard
and walks to the town. 19. Soon he finds the tailor Schlotter-

beck whom he already knows. Here he takes a needle and
thread and puts his coat in order. 20. He tells the tailor that
he was in the hospital four or five weeks. There he had much
time to read the Bible. 21. Many beautiful and wise and
true things are in it. But Schlotterbeck is through with it.
22. Knulp bends down to him and tells him that he must love
his children. Knulp, too, has a child, a little boy of two
years. He is not permitted to see the child. 23. The tailor is
now glad to have his children and to be able to love them.

V

A. Fragen

23. Erzählen Sie von Knulps Gang durch die Stadt!
Wohin beschloß er das Bärbele mitzunehmen? Wer hatte
den Knulp schon kommen hören? 24. Was wollte die Meisterin extra für ihn braten? Was ist ein Sonntagsessen für den
Knulp? Wofür dankte er der Frau Meisterin? Wie lange
las er im Wochenblatt? 25. Was wurde nach Tisch getan?
Was beobachtete Knulp mit blinzelnden Augen? Wohin ging
er mit dem Meister? Auf welchen Steg setzte sich Knulp?
Welche Gelegenheit suchte er? 26. Wo sah er das Mädchen
wirtschaften? Woran freute sich Knulp? 27. Womit klopfte
Knulp ans Küchenfenster? Was wollte er bloß sagen? Was
möchte er fragen? An wen will sie einen Brief schreiben?
Was ist wahrhaftig keine Sünde? Wo will Knulp um acht
Uhr sein? 28. Was hat er gedacht? Was will er tun, wenn
niemand kommt? Wo sah Bärbele ihn verschwinden? Was
hörte Knulp wohl?

B. Translation

23. Knulp continues his walk through the town. Everywhere
he finds old friends and acquaintances. In the evening he
wants to take Bärbele to a dance in a village not far from the
town. He returns to the tanner's house early. 24. Frau Roth-

fuss wishes to fry a piece of liver especially for him. He thanks
her for her good will. 25. After dinner they play cards a
little while. Then Knulp goes out and looks for an opportunity
to speak to Bärbele. 26. Through the trees he sees the house
where she lives. 27. After waiting (he waits) a whole hour, he
knocks at the kitchen door where she is working. It does not concern anyone if she goes out for a walk with him. He must
go now, but he will return at eight o'clock. 28. If she does
not want to come, he will go alone. Before she can say anything,
he disappears behind the trees. She then returns to her work
and begins to sing.

VI

A. Fragen

29. Was will Rothfuß mit Knulp trinken? Welche Besorgung hat Knulp heute abend? Wo wird er den Schlüssel
finden? Warum kam ihm die Hausfrau nachgelaufen?
30. Was wollte sie ihm aufheben? Warum strich er mit
der Hand über ihr Haar? Wie lange will die Meisterin
warten? Warum begann Knulp bei der nächsten Ecke zu
pfeifen? Wo machte er halt. 31. Warum stellte er den Plan
für seine nächste Wanderung auf? Warum hat er dem
Gerber keinen Wink wegen der Meisterin gegeben? Woran
dachte er mit einem gewissen Spott? Warum konnte er
nicht über den Schwarzwald gehen? Was war der erste
sichere Rastort? 32. Wer erschien auf der Brücke? Wovon
erzählte das Mädchen? Wovon erlöste sie sich im Plaudern?
33. Woran will Knulp gewiß denken? Warum könnte sie
eigentlich heute noch einen Tanz riskieren? Wo ist Musik?
Warum darf Bärbeles Schatz kein Gerber sein?

B. Translation

29—30. In the evening Rothfuss wishes to drink a glass or
two of beer. Knulp is sorry that he cannot drink with him. He
has to meet a friend who is leaving the next day. When he goes,

the tanner's wife runs after him and gives him an umbrella.
31. His thoughts of the tanner's wife are by no means
friendly. But he does not want to make people better or wiser.
32. Soon a figure appears on the bridge. He recognizes Bärbele
and runs to meet her. At first she is timid and feels ashamed,
but finally she walks by his side cheerfully. She tells him of
her experiences. When they come to the village, she wants to
return because it is getting late. 33. She does not wish to offend
him, but she does not like a tanner. Knulp shows her his hands,
and she sees that they are clean.

VII

A. Fragen

34. Wer tanzte im Löwen? Welche Tänze machten Knulp
und Bärbele mit? Wann sagte Knulp, daß es Zeit zum
Heimgehen sei? Was gab Bärbele dem Knulp für die Mu-
sik? 35. Warum war ihr Freund still geworden? Welches
Lied fing Bärbele an zu singen? Was tut ihr leid? Wann
wird das Heimweh nimmer kommen? Was ist besser für
Bärbele? 36. Warum will Knulp einen Kuß von ihr haben?
Wie gab sie ihm den Kuß zurück? Was steckte sie Knulp
in die Hand? 37. Was behielt er schließlich? Worüber dachte
Bärbele unterwegs beständig nach? Wer wartete noch auf
Knulp? Erzählen Sie von dem Schabernack des Knulp!

B. Translation

34. The couple joins the next dance, and no one annoys them.
At half past nine they go home. 35. Knulp becomes quiet, perhaps because he is tired. Bärbele's homesickness is quite gone,
and she begins to sing. He is sorry, for he cannot go walking
with her again. They walk more slowly, and finally they stop on
the bridge. 36. He kisses her and she goes away. But soon she
turns around and comes back. He has no money and will receive
no wages. She must give him a little money to take along.

Later he can perhaps send it back to her. 37. When he comes home, he unlocks the door carefully and closes it quietly behind him. Tomorrow he will leave the place.

Meine Erinnerung an Knulp

VIII

A. Fragen

39. Wann wanderten Knulp und sein Freund durch eine fruchtbare Gegend? Was taten sie tagsüber? Was tat Knulp am Abend? Woran kamen Knulp und sein Freund eines Nachmittags vorüber? Warum wollte Knulp Feierabend machen? 40. Warum pflanzen die Bauern was Sauberes auf die Gräber? Womit waren die meisten Gräber versehen? Wann könnte man die da drunten wohl reden hören? Was sagt man vom Tod? Was würde Knulp tun, wenn er verstorben wäre? 41. Warum gefiel dem Freunde das Lied des Knulp? Warum soll Knulp den Jungfern nicht zuviel versprechen? Wen hat Knulp einmal gekannt? Was denkt er seitdem? 42. Was denkt er oft von einem schlanken jungen Fräulein? Wann ist ein schöner Vogel das Feinste von allem? Wann ist eben alles schön? Wann würde man vielleicht eine Jungfer gar nicht so schön finden? Wann würde man etwas Schönes kälter anschauen? 43. Was geschieht, wenn Leuchtkugeln gerade am schönsten sind? Was für eine Liebschaft hat Knulp zweimal im Leben gehabt? Was wußte er beidemal gewiß? Wo hat er auch einen Freund gehabt? Was hätte er nicht gedacht? 44. Was gefiel dem Freunde von Knulps Worten am besten? Warum? Wie tut man eigentlich jeden Schritt? Mit wem kann ein Mensch das Seinige nicht gemein haben? Was kann man von einem gelben Schmetterling nicht verlangen? 45. Warum wird man oft so dumm betrübt? Warum muß das Gute das Richtige

sein? Wohin führte den Knulp die Neigung zum Spekulieren? Warum verachtete er die Gelehrten?

B. Translation

39—40. Knulp and a friend wander through a fertile country.
They lie under cool trees and seem to have no worries. One
afternoon they come to a cemetery. It is a cool, shady place,
far from the next village. They sit down in the grass and talk
about life and death. 40—43. Is death only a long sleep, and do
we come back here after we die? Frequently a slender young
woman seems to be the most beautiful thing in the world. Then
again a pretty bird or a butterfly with red wings seems more
wonderful. When we see beautiful things we are not always
happy, because we know that everything has an end. We sometimes believe that friendship and love will never cease. But this
is not always true. 44—45. When someone dies, people mourn
a day or a month or a year. But the dead person is dead and
gone. Life is, however, not without significance. When we are
good and friendly and honest, we are more satisfied and have a
better conscience.

IX

A. Fragen

46. Was spielte Knulps Freund auf der Mundharfe?
Warum kann ein Mensch seine Seele mit keiner andern
vermischen? Warum schicken die Blumen ihren Duft und
ihren Samen aus? 47. Was finden die Eltern Knulps
nebensächlich an ihm? Was kann ein Vater seinem Kinde
als Erbe mitgeben? Was nicht? Wann ist jeder Mensch
heilig? Wen hat Knulp reden hören? Was hätte er keinem
zugetraut? 48. Was tat der Redner der Heilsarmee, wenn
er kein Wort mehr herausbrachte? Was haben Kinder und
Große getan? Was muß für alle passen? Wie oft findet
Knulp eine Weisheit? Wann läßt er sie nimmer gelten?

Exercises

B. Translation

46—47. One afternoon Knulp and his friend are sitting at the edge of a wood. Each eats a large piece of bread and half a sausage. Then they read to each other from a little book. Later Knulp tells his friend something about the soul. Our souls are like flowers. They are rooted to their places and cannot come to one another. Parents often believe that their children are like them. They do not know that every human being has a new soul. A mother can give to her child her eyes and her nose as a heritage, but not her soul. 47—48. Few people are ready to sacrifice themselves for their ideas. Once Knulp heard a man from the Salvation Army give a talk. Children and grown-ups considered him a fool. He did not get angry and only smiled. He was sacrificing himself for his ideas. Knulp, too, wants to follow the truth when he finds it.

X

A. Fragen

49. Was sah Knulps Freund gleich am Morgen? Wann sang Knulp schon seine neuen Lieder? Was erzählten Knulp und sein Freund einander? Wie schonten sie ihre Kräfte? 50. Was wollten sie für die Nacht suchen? Worauf freute sich Knulps Freund, als sie nach einem stattlichen Dorf kamen? Was bestimmten sie zu ihrer Nachtherberge? Was dachte Knulps Freund zu spendieren? 51. Was aßen sie zum Eierkuchen? Was war nicht die Absicht des Freundes? Was tat diesem leid? Warum kam Knulp nach einer Stunde wieder? 52. Wann brach sein Freund auf? Was spürte er im Gehen? Wann schlief er ein? Wann erwachte er am andern Morgen? 53. Wen rief er vergeblich? Was hatte Knulp getan? Warum war Knulp wohl heimlich fortgegangen?

B. Translation

49—50. The next morning Knulp feels better because he has slept well and dreamed beautiful things. Before he reaches the

next village, he sings some of his new songs. He greets and teases
the people he meets. His new friend has never seen him so entertaining. Towards evening Knulp gradually becomes tired.
His friend, however, looks forward to a gay time in the next
village. He invites Knulp to drink a bottle of beer with him.
51—53. After Knulp is through with his beer, he strolls through
the village a while and then goes to bed early. It is late when
his friend finally goes to the sleeping place. The next morning
he wakes up late. When he looks around, he finds that Knulp
has already gone. Knulp must have felt a need for solitude and
therefore left his friend secretly.

Das Ende

XI

A. Fragen

55. Wo fuhr der Einspänner des Doktors Machold? Wohin führte die Straße geradeaus. Woher kam Machold? Was
weckte ihn, als er nahe am Einschlafen war. 56. Wer erschien
im nahen Horizont? Beschreiben Sie ihn! Was tat der Doktor
plötzlich? Wie lange haben Machold und Knulp einander
nicht gesehen? 57. Wohin geht die Reise des Knulp? Was
könnte er vielleicht brauchen? Wohin gehören kranke Leute?
Wohin nicht? 58. Was wollte Knulp noch einmal sehen?
Was gab der Doktor ihm in der Wohnstube? Wofür will
Machold sorgen? Wie lange soll Knulp sich in die Sonne
setzen? 59. Was ist eigentlich nicht in Ordnung? Was soll
Lina nicht vergessen?

B. Translation

55. One afternoon Dr. Machold was driving slowly on the
highway to the next village. He held the reins loosely and let
his horse go slowly. 56. All at once he stopped and called to a
dusty wanderer who was walking along the road. Then the

stranger turned around obediently and came to the carriage. The doctor knew the stranger, for it was no other than the famous Knulp, an old school-fellow of his. 57—58. Knulp was a sick man. His only wish now was to see his old home once more before he died. He knew what ailed him, yet it was hard for him to realize that he must stay in bed. 59. Although he had spent most of his life in the sun and the air, his lungs were ruined. Machold's housekeeper was not pleased to let the vagabond have the guest room. But she must not forget that he is a school friend of Machold.

XII

A. Fragen

59. Wann erlaubte Machold dem Knulp das Aufstehen? Weshalb hatte der Doktor sich freigemacht? Was wäre vielleicht aus Knulp geworden? 60. Woran haben junge Mädel und Kinder ihren Spaß gehabt? Was weiß Machold noch genau? Mit wem darf ein Lateiner nicht Freund sein? 61. Bis in welche Klasse sind Machold und Knulp gute Freunde gewesen? Auf wen ist Knulp früh neugierig geworden? Wer kam auch zu den Töchtern des Gerbers Haasis? Was durfte Knulp manchmal tun? 62. Wer war die Neue, die eines Tages da war? Was möchte Knulp lieber nicht sagen? Was wurde sein einziger Wunsch? Was für einen Schatz kann Franziska nicht brauchen? Was hat Knulp ihr da versprochen? 63. Was versprach nun Franziska dem Knulp? Was teilte Knulp dem Vater mit? Welcher Ausweg fiel ihm ein? Wie machte er den Lehrern das Leben schwer? 64. Wann war Knulps Ziel endlich erreicht? Seit wann wurde er schlechter von Franziska behandelt? Wann wurde ihm die Wahrheit bekannt? Was hätte Knulp kennengelernt, wenn alles richtig gegangen wäre? 65. Worauf hat er sich nie mehr verlassen? Wann wäre Machold ein miserabler Doktor? Was verspricht er dem Knulp?

66. Welche Bitte hat Knulp an Machold? Wohin will Machold schreiben? An welche Zeit muß er plötzlich denken?

B. Translation

59. Knulp had slept eleven hours before Machold allowed him to get up. The good food and the wine made him cheerful and talkative. If he had used his talents, he could have become a teacher, a preacher, or a poet. 60—63. He has never told anyone why he had left school. But now he tells Machold how it happened. When he was thirteen years of age, he fell in love with a girl two years older than he. She did not wish to have a sweetheart who was not a tradesman. So he promised her to leave school and become a tradesman or workingman. 64—66. But everything was in vain because the girl soon had another sweetheart. Since then Knulp has had many friends and many love affairs. He never again depended on the word of any human being. Now he is very sick and he must go to a hospital if he wants to get better.

XIII

A. Fragen

66. Was spürte Knulp deutlicher als zuvor? Wovon wollte er in Gerbersau Abschied nehmen? 67. Welche Zeiten gewannen neuen Glanz für ihn? Warum bat er Machold nicht um ein Paar alte Schuhe? 68. Was fiel ihm ein, als er an Machold dachte? Warum wollte er dem Doktor ein Gedicht aufschreiben? Was stand in dem Liede? Wohin legte er das Blatt? 69. Wo wurde Knulp erwartet? Mit wem sollte er in die Stadt fahren? Was für einen Rock konnte Knulp brauchen? Was begann ihm leid zu tun? Welchen alten Handwerkergruß sagte er in der Schmiede? 70. Was war er früher gewesen? Was will er von dem Schmiede leihen? Warum ist das Rasiermesser kein gewöhnliches Messer? 71. Wann soll Knulp den Rock wiederkriegen?

Wann brachte er das Meſſer zurück? Wo traf er den Dok=
tor? Was feierten die beiden Schulkameraden? Wann kam
der Knecht mit dem Wagen vorgefahren? 72. Was hatte
Knulp ihm bald ausgeredet? Wo trennten ſie ſich freund=
ſchaftlich?

B. Translation

66—67. The next day Knulp has to stay in bed the whole morning on account of the fog. He now feels clearly that his end is
approaching. It occurs to him that he must leave something
for his friend Machold. 68. He therefore takes a pencil which
he finds in the house and writes a few lines on a white piece
of paper. It is not a real song, but it says what he wanted to
say. Although the fog had become more dense the next day,
Dr. Machold allowed him to get up. 71—72. The following
morning Knulp drives to Gerbersau with the farm-servant of the
village mayor. When they come to the town, the farm-servant
wishes to drive Knulp to the hospital. But Knulp talks him out
of it, and they part in a friendly manner. Knulp is now free
again, and in the hospital they will have to wait long for him
before he goes there.

XIV

A. Fragen

72. Wo war Knulp den ganzen Tag unterwegs? Was
las er auf neugemalten Schildern? Wo blieb Knulp ſtehen?
Wo hatte er ſeine beſten Tage gehabt? 73. Wer hatte vor
Zeiten in dem ſchmächtigen Hauſe gewohnt? Was ſah
Knulp am Gartenzaun? 74. Weſſen Lehrer war er hier ge=
weſen? Wann verließ Knulp den Gartenweg? Wann wäre
alles anders gekommen? 75. Was tat Knulp, als ihn eine
große Müdigkeit ergriff? Wo verſchwand er nach kurzem
Beſinnen? Was erfuhr er nach kurzem Fragen? Was hatte
nun keinen Sinn mehr? Was fiel ihm im Poſtgäßchen plötz=
lich ein? Wer ſaß hoch oben am Waldrande? 76. Was für

ein Mann ist Andreas Schaible? Warum atmet Knulp mit
Beschwerden? Was hat er wieder einmal besucht? 77. War=
um ist es wohl das letzte Mal? Wann wäre es vielleicht
anders mit ihm? Wann gab der Steinklopfer dem Knulp
aus der Mostflasche zu trinken? Wohin blickten beide eine
Weile? Warum wird Knulp sich nicht so leicht verant=
worten können? 78. Was für eine Arbeit wird der liebe Gott
ihm droben geben? Warum nahm Knulp das Geldstück des
Steinklopfers?

B. Translation

72. Knulp walks through the streets of his native town.
He stops before the little house where he had lived with
his parents. 73. He does not see the new garden which is
now lying before him; he still sees his father's old garden as it
was many years ago. 75. Finally he must think of a sleeping place. He slips out of the garden and disappears in an inn
where no one knows him. The next day it occurs to him that
they will perhaps miss him at the hospital. He therefore buys a
few rolls and leaves the town immediately. 76. He stops to speak
with his friend Schaible who is working on the highway.
He tells Schaible that he has visited his native town for the
last time. 77. If Knulp had stayed at home and worked in-
dustriously, it would perhaps be different with him now.
78. He looks down once more upon his native valley, nods to
Schaible and disappears.

XV

A. Fragen

79. Wann brach der Winter plötzlich herein? Wo war
Knulp diese ganze Zeit gewesen? Was wurde ihm klar?
Wo brachte er die Nächte zu? Woher kam er im dicken
Schneetreiben? 80. Vor wem stand er wieder in seinen
Gedanken? Worüber sprachen Knulp und der liebe Gott
miteinander? Wann hätte noch alles aus Knulp werden

können? Wann wäre Knulps Leben schön und vollkommen
gewesen? Woran soll Knulp denken? Was war schön ge=
wesen? 81. Wo war der liebe Gott verschwunden? Wann
war er unversehens wieder da? Was hat Knulp zugeben
müssen? 82. Warum mußte Knulp ein Leichtfuß und Vaga=
bund sein? Was würde Knulp tun, wenn er jetzt ein Herr
oder Handwerksmeister wäre? 83. Was hat er den seß=
haften Leuten immer wieder mitbringen müssen? Wer ist in
Knulp verspottet und geliebt worden? Was hörte Knulp
noch immer, als er die Augen schloß? Wie tönte die Stimme
Gottes? Warum schüttelte Knulp den Schnee nicht von
seinen Händen ab?

VOCABULARY

A dash (—) stands for the key-word.

Verbs conjugated with ſein are indicated by (ſ.); otherwise verbs are conjugated with haben.

Verbs used in the text only in a reflexive sense are preceded by ſich; when used in the text both in a reflexive and non-reflexive sense they are preceded by (ſich).

A hyphen (‧) between prefix and verb indicates that the verb is separable.

Compound verbs with * are strong or irregular, and their principal parts are given under the simple verb.

A present or past participle used in the text as an adjective or adverb only is entered as such, and the infinitive form of the verb is not given.

Articles, common prepositions, and pronominal words, as well as some obviously common terms, have been omitted.

An infinitive used as a noun is not entered if the verb is already listed and the meaning is not different.

Diminutive forms in -chen and -lein are listed only when they have a special meaning or when the noun from which they are derived is not given.

Accents are indicated in the case of foreign words only.

VOCABULARY

The notes and the translation of idiomatic expressions have been included in the vocabulary. Experience and observation have proved such an arrangement to be more convenient for the student and pedagogically more effective.

A

ab=brechen*, to break (off)

das Abendgespräch, =(e)s, =e, evening conversation

abendlich, evening; darkened

abends, in the evening

die Abendstunde, =n, evening-hour

die Abendsuppe, =n, soup for supper

der Abendtrunk, =(e)s, =e, evening draught

ab=fallen* (f.), to fall off, forsake

abgemäht, mowed

der Abgrund, =(e)s, =e, abyss, precipice

abhängig, dependent

ab=holen, to fetch, call for

ab=laufen* (f.), to run off; **sich** (dat.) **die Hörner —**, to sow one's wild oats

ab=legen, to lay off; **die Kleider —**, to undress

ab=räumen, to clear, remove

ab=reisen (f.), to depart

der Abschied, =(e)s, =e, farewell; **zum —**, as farewell; **— nehmen**, to bid farewell

das Abschiedslied, =(e)s, =er, farewell song

ab=schließen*, to lock

ab=schneiden, schnitt ab, abgeschnitten, to cut off; **ihr das Wort —**, to cut her off short

ab=schreiben*, to copy

ab=schütteln, to shake off

abseits, aside, apart

die Absicht, =en, intention

ab=stellen, to put down

ab=streichen, i, i, to wipe dry

ab=tasten, to feel, fumble over

ab=treiben, ie, ie (f.), to drift off

ab=wehren, to avert; to ward off

sich ab=wenden*, to turn away

ab=ziehen*, to draw, pull, *or* take off; to sharpen (*a razor*)

ach! ah, oh! — was! bah, pshaw! leave me alone; — was stören! don't speak about disturbing! — Wahrheit! nonsense!

achten (auf), to heed, pay attention (to)

Achthausen, *an apparently fictitious name for a village in the Black Forest*

der Acker, =s, =, field

adieu, good-bye, farewell

ahnen, to have a presentiment of

ähnlich (*w. dat.*), similar to

der Ahorn, =(e)s, =e, maple

die Ähre, =n, ear (of corn)

die Allee', =n, alley, walk

das Alleinsein, =s, being alone; **nach tagelangem —**, after he had been alone for days

allemal, always

allerdings, it is true; indeed, to be sure

das Allerfeinste, -n, the nicest of all.

allerlei, all kinds (of things)

das Allerschönste, -n, most beautiful of all

allmählich, gradually

allzubald, too soon,

als, as; than; when; **nichts —,** nothing but.

alsbald, presently, at once; soon

also, therefore; well then; **— gut' Nacht auch,** well, good night then; **— denn!** all right then; let's go

die Alta'ne, -n, balcony

der (die) Alte, -n, -n, old man (woman); *pl.*, old people *or* folks; **dein Alter,** your father; **meine Alte,** my wife; **Alter,** old friend (man)

das Alter, -s, -, age; **im —,** in his age

das Alterle, -s, -, (dear) old fellow

der Amtmann, -(e)s, -er, domain judge

der Amtsrichter, -s, -, district judge

an, on, at; to, towards; concerning; of; **als könne — ihm ... sein,** as if there could be about him ...

an-bieten, o, o, to offer

der Anblick, -(e)s, -e, sight; **er freute sich am — des Mädchens,** he enjoyed looking at the girl

ändern, to change; **aber da ist nichts zu —,** but it can't be helped

anders, differently

aneinander-stoßen (ö), ie, o (f.), to join

an-erkennen*, to acknowledge

die Anerkennung, -en, acknowledgment

der Anfall, -(e)s, -e, spell; **ein — von Husten,** a coughing spell

der Anfang, -(e)s, -e, beginning; **— der neunziger Jahre,** in the early nineties; **im —,** at first

an-fangen (ä), i, a, to start, begin; to do, accomplish; **was er jetzt anzufangen denke,** what he intended to do now

anfänglich, at first

an-fassen, to touch

an-führen, to lead, direct

an-gehen* (f.), to begin; to arise; to concern; **und geht niemand was an,** and does not concern anybody *or* is nobody's business

angehören (w. dat.), to belong to

angelehnt, half closed (door)

angenehm, pleasant, agreeable

angewurzelt, rooted

die Angst, -e, fear, anxiety

ängstlich, timid

an-haben, to have on, wear

an-halten*, to stop, pull up

an-hängen*, to fasten upon; to give

an-heben, o, o, to begin

an-klagen, to accuse

an-klopfen, to knock

an-kommen* (f.), to arrive; *impers.*, to depend upon; **auf einen Tag kommt es jetzt auch nimmer an,** one day does not make much difference now; **auf ein Glas Most soll's mir nicht —,** I shall not mind spending a glass of new wine

der Ankömmling, -s, -e, new-comer

an-lächeln, to smile at

an-melden, to announce

an-merken, to notice; sich (*dat.*) — lassen, to betray

anmutig, charming

an-nehmen*, to take; to adopt; to accept; to assume; ich nehm's für genossen an, I do not insist on getting it

Anno (*Lat. ablative case of annus, year*), in the year (of); — neunzig, in the year 1890

an-rufen*, to call to; to address

an-schauen, to look at; ich will nicht für so eine angeschaut werden, I don't want to be taken for such a girl

sich an-schicken, to prepare, get ready

sich an-schließen* (*w. dat.*), to join

der Anschnitt, -(e)s, -e, cut

an-sehen*, to look at; to let pass, witness; to regard, consider; sah sich den hübschen Burschen an, looked at the handsome fellow; er ließ sich von dem Hufschmied für einen Kollegen —, he let the farrier take him for a colleague; ich sah es seinem Gesicht an, I perceived it in his face

an-setzen, to fix; to put on

die Ansicht, -en, opinion

an-sprechen*, to address

anspruchsvoll, presumptuous

anständig, respectable; proper

an-stecken, to infect; von seiner Laune angesteckt, infected with his humor; sich (*dat.*) —, to light

ansteigend, ascending

an-stellen, to arrange

an-stoßen (ö), ie, o, to clink

an-strahlen, to beam upon

an-treiben, ie, ie, to urge on

an-treten* (s.), to set out; to report to

an-tun*, to do to

die Anwandlung, -en, touch

das Anzeichen, -s, -, sign

(sich) an-ziehen*, to dress; to put on

der Anzug, -(e)s, -̈e, suit (of clothes)

an-zünden, to light; to set on fire

der Apfelmost, -es, -̈e, cider

arbeiten, to work

der Arbeiter, -s, -, workman

arbeitsam, industrious

arg, bad

ärgerlich, vexed, angry

(sich) ärgern, to be vexed, become angry; to irritate

arglos, unsuspecting

der Ärmel, -s, -, sleeve

die Armenpflege, -n, charity organization

ärmlich, needy, scanty

der Arrest', -es, -̈e, arrest

die Art, -en, manner; kind

die Artigkeit, -en, politeness, courtesy

der Arzt, -es, -̈e, physician

der Atem, -s, -, breath; um wieder zu — zu kommen, to catch his breath again

der Atemzug, -(e)s, -̈e, breath

atmen, to breathe

auch, also; really; even; — wenn, even if; — schon, already; — noch, still, yet; — nicht, not either; was denkst du —, what do you think; das hat man —, that's exactly what they did; gut' Nacht —! good night then; hat's nicht — Zeit? can't you wait? das ist er — noch, it still has the same reputation; das hat fie aber — gelernt, but that she has learned, you know; was ift es denn — für Zeit, what time is it, anyway

auf, at, upon, on, at, after; — lange Zeit, for a long time ahead; — einmal, all of a sudden

aufatmend, taking a deep breath

auf=brechen* (f.), to break up; to leave

auf=bügeln, to smooth, iron out

auf=fahren* (f.), to start up

auf=fallen* (f.), (w. dat.), to strike, attract attention

die Aufgabe, =n, lesson, problem

auf=geben*, to give up

aufgekrempelt, turned up

aufgeräumt, in high spirits

aufgeregt, exited

aufgeschrieben, written down

aufgesteckt, put up

auf=heben*, to keep; to raise

auf=hören, to cease, stop

auf=kommen* (f.), to get up

auf=lachen, to burst into a laugh

aufleuchtend, (his face) beaming up

auf=lösen, to untie

auf=machen, to open

aufmerksam, attentive

die Aufmerksamkeit, =en, attention, care

aufmunternd, encouraging

die Aufnahme, =n, reception; eine freundliche — finden, to meet with a friendly reception

auf=nehmen*, to take up; to receive

auf=passen, to watch; to listen

das Aufräumen, =s, cleaning up

aufrecht, upright, erect

auf=reißen, riß auf, aufgerissen, to open (wide)

sich auf=richten, to raise oneself up

aufrichtig, upright; sincere; honest

auf=schauen, to look up

auf=schlagen*, to open

auf=schließen*, to open

auf=schnappen, to snatch up

auf=schreiben*, to write down

auf=schütteln, to shake up

auf=setzen, to put on

auf=sitzen*, to sit up

auf=sparen, to save

auf=springen* (f.), to jump up

auf=stehen* (f.), to get up, rise; to arise

aufsteigend, ascending

auf=stellen, to make up; to set up; to advance; sich —, to take one's stand, post oneself

auf=stoßen (ö), ie, o, to push open

auf=stützen, to lean upon; mit aufgestützten Ellbogen, leaning upon his elbows

auf=suchen, to look up

auf=tragen*, to carry up, serve; die Suppe wurde aufgetragen, the soup was served

auf=treten* (f.), to come forward; er trat leise auf, he walked gently

sich auf=tun*, to open

auf=wachsen* (f.), to grow up

der Augenblick, =(e)s, =e, moment, instant; im —, at this moment

die Augenbraue, =n, eye-brow

äugend, observing attentively

aus, from, out of; over; — sein, to be over

sich (dat.) aus=bitten*, to ask for

aus=blasen*, to blow out

sich (dat.) aus-denken*, to think out

der Ausdruck, -(e)s, -̈e, expression

auseinander, apart, from one another

der Ausflug, -(e)s, -̈e, excursion; einen — machen, to go on an excursion

aus-fragen, to pump (a person)

ausgebreitet, spread

aus-gehen* (s.), to go out; to come to an end

ausgelassen, frolicsome, gay

die Ausgelassenheit, wildness

ausgeruht, rested

ausgezeichnet, excellent

aus-graben*, to dig out

das Auskleiden, -s, undressing

aus-lachen, to laugh at

aus-legen, to lay out

aus-nützen, to make use of

aus-putzen, to clean out

aus-reden, to stop talking; indessen hatte Knulp ihm das bald ausgeredet, Knulp had, however, soon talked him out of it

aus-reichen, to suffice

aus-reißen, i, ausgerissen, to tear out

aus-ruhen, to rest (up)

aus-schauen, to look out; to look; gerade jugendlich schaust du nimmer aus, I can't say that you look very youthful

aus-schicken, to send out

der Ausschnitt, -(e)s, -e, cut (in the shutter)

aus-sehen*, to look; extra — tust du aber nicht, you certainly don't look particularly well

außer (w. dat.), except

außerdem, besides

außerhalb (w. gen.), outside

aus-setzen, to set or put out

aus-sprechen*, to pronounce; zum Aussprechen, to pronounce

aus-spucken, to spit out

aus-steigen* (s.), to alight

aus-stoßen (ö), ie, o, to utter, thrust out; dann stieß er einen leisen, vogelartigen Pfiff aus, then he gave a low bird-like whistle

aus-trinken*, to empty (by drinking)

der Ausweg, -(e)s, -e, way out

aus-weichen* (s.), to evade; to refuse

aus-weisen, wies aus, ie, to expel, turn out

die Auszehrung, -en, consumption

aus-ziehen*, to take off

B

der Bäcker, -s, -, baker

das Bad, -(e)s, -̈er, bath

baden, to bathe

bald, soon; — ... —, now ... then, at one time ... at another

das Band, -(e)s, -e, bond, tie

die Bank, -̈e, bench

das Bärbele, -, - (South-Germ. diminutive), Barbara

das Barbieren, -s, shaving

die Barschaft, -en, money, cash

der Bart, -(e)s, -̈e, beard

bauen, to build

der Bauer, -s or -n, -n, peasant, farmer

Bauerswil, an apparently fictitious name for a village in the Black Forest

baumwollen, (of) cotton

der Becher, =s, =, cup
bedacht: — sein auf, to consider, think of
bedächtig, deliberate
bedecken, to cover
die Bedeutung, =en, significance, meaning
bedrückt, depressed
die Bedrücktheit, depression
das Bedürfnis, =nisses, =nisse, necessity, need
das Beerengesträuch, =(e)s, =e, berry-shrub
das Beet, =(e)s, =e, bed
befallen*, to befall, come upon
befangen, embarrassed
befehlen (ie), a, o, to order, command
befinden*, to find, deem
befreundet, befriended, friendly
befriedigen, to satisfy
begabt, talented, gifted
begegnen (f.), (w. dat.), to meet
begehren, to desire, want
die Begier, eager desire
begierig, eager
beginnen, a, o, to begin, start
begleiten, to accompany, escort
beglückend, pleasant
begreifen*, to understand
begrüßen, to greet
begütigend, soothing
behagen (w. dat.), to please, suit; das behagt mir aber nicht, I don't like that at all
das Behagen, =s, enjoyment, pleasure
behaglich, comfortable, leisurely: — stand er auf, he got up leisurely
behalten*, to keep

behandeln, to treat
beharren, to insist
beherrschend, dominating
behorchen, to listen to
behutsam, cautious, careful
bei, at; with; — uns, at our home; — dir muß alles nobel sein, everything you have must look grand; —m langen Warten, during the long wait
beieinander, together
das Bein, =(e)s, =e, leg; auf den —en, on foot; seine —e gingen von selber, his legs moved automatically
beinah, almost
beiseite=tun*, to put aside
das Beispiel, =(e)s, =e, example; zum —, for example
bekannt, known
der Bekannte, =n, =n, acquaintance
die Bekanntschaft, =en, acquaintance
bekennen*, to confess, admit
die Beklemmung, =en, anxiety
die Beklommenheit, =en, depression
bekommen*, to get; to have; schließlich bekam ich Freude daran, finally I enjoyed it
bekümmert, grieved, troubled
belästigen, to annoy, trouble
belauschen, to listen to
beleidigen, to offend
beliebt, popular, well-liked
Bello, name of a dog
belustigt, amused
bemerken, to notice
beneiden, to envy
benutzen, to make use of
beobachten, to observe, watch
bequem, comfortable

Berchtoldsegg, *an apparently fictitious name for a village in the Black Forest*

bereits, already

bergan, uphill

das Bergfeuer, -s, -, signal fire on a mountain

die Bergstraße, -n, mountain road

berichten, to inform, instruct

der Bernhardinerhund, -(e)s, -e, Saint Bernard dog

berühmt, famous

berühren, to touch

beschaffen, constituted; wie es mit Buben und Mädeln — ist, how boys and girls are (physiologically) constituted

beschäftigt, occupied

der Bescheid, -(e)s, -e, knowledge; — wissen, to be acquainted; to know; und wußten nicht recht —, and did not quite know what we were doing

bescheiden, modest

beschenken, to present with, make a present of

beschließen*, to decide

beschreiben*, to describe

die Beschwerde, -n, difficulty

sich besinnen, a, o, to reflect, ponder, deliberate; to remember; sich — auf, to recollect; dann besann er sich, then he changed his mind

das Besinnen, -s, reflection

besitzen*, to possess

besonder, especial; was Besonderes, something particular

besonnt, sunny; auf dem -en Tischtuch, upon the table cloth bathed in sunshine

besorgt, anxious

die Besorgung, -en, errand

das Besprechen, -s, discussion

bessern, to better, improve

die Besserung, -en, convalescence; gute —, I wish you a speedy recovery

beständig, continuous

bestimmen, to intend; to decide; — zu, to decide for; vorerst bestimmten wir eine abseits stehende, leicht zugängliche Scheuer zu unserer Nachtherberge, first of all we chose for our night's lodging a shed standing a little way off from the street and easily accessible

der Besuch, -(e)s, -e, visit

besuchen, to visit

der Betbruder, -s, -, devotee, bigot

betrachten, to view, look at

betreffen*, to concern

betreten*, to enter

betroffen, perplexed

die Betrübnis, -nisse, sadness

betrübt, sad, sorrowful

betteln, to beg

die Bettflasche, -n, hot-water bottle

die Bettleinwand, bed-linen

die Bettstatt, -en, bedstead

das Bettzeug, -(e)s, -e, bedding

sich beugen, to bend

bevor, before

die Beweglichkeit, -en, mobility

die Bewirtung, -en, hospitality

bewundert, admired

die Bewunderung, -en, admiration

bezahlen, to pay

die Bibel, -n, Bible

das Bier, -(e)s, -e, beer

das **Bild**, =(e)s, =er, picture

bilden, to improve; to develop

das **Bilderbuch**, =(e)s, =er, picture book

das **Bildnis**, =nisses, =nisse, picture, portrait

die **Birkendose**, =n, birch snuff-box

bis, until; as far as

bißchen, little

bitte, please

die **Bitte**, =n, request

bitten, bat, gebeten, to ask; to beg; — um, to ask for

das **Bitten**, =s, asking, requesting

bitter, bitter; — nötig haben, to be absolutely necessary

die **Bitternis**, =nisse, bitterness

blank, bright, polished

blasen (ä), blies, a, to blow

das **Blatt**, =(e)s, =er, leaf, sheet; picture; card

blaugewürfelt, blue checkered; dessen Kopf auf dem halb vom —en Hemdärmel bedeckten Arme lag, whose head was lying on his arm half covered by the blue checkered shirt sleeve

bläulich=grau, bluish gray

bleiben, ie, ie (f.), to remain, stay; stehen—, to stop, stand still; er blieb liegen, he kept on sleeping; davon ist mir wenig geblieben, of that I remember little, I retained little of that; und dabei blieb sie schließlich, and that was her final opinion

das **Bleiben**, =s, stay; sojourn

bleich, faded, pale

blenden, to blind

der **Blick**, =(e)s, =e, look, glance

blicken, to look

blinzeln, to twinkle, blink

blitzschnell, swift as lightning

die **Blockhütte**, =n, log-house

blöd(e), shy; —e Stelle, defective spot

bloß, only; bare

das **Blumenblatt**, =(e)s, =er, petal

blumenfarbig, colored with flowers

die **Blüte**, =n, bloom

der **Blutfleck**, =(e)s, =e, blood spot

der **Bock**, =(e)s, =e, driver's seat (of a wagon)

der **Boden**, =s, = or =, floor; ground, soil; garret; er ist schon lange unter dem —, he has been dead a long time

die **Bodensenkung**, =en, hollow of the ground

die **Bodentreppe**, =n, garret stairs

der **Bogen**, =s, = or =, arch

bös(e), bad, wicked; angry; du mußt mir nicht — sein, you must not think evil of me

die **Bosheit**, =en, ill-temper, malice

die **Bota'nik**, botany

braten (ä), ie, a, to fry

der **Brauch**, =(e)s, =e, custom

brauchen, to use, need; to demand; to want; was brauchst du so fein zu sein, what do you want to be so noble for?

die **Braue**, =n, brow, eyebrow

die **Brauerei**, =en, brewery

bräunlich, brownish

brav, honest; good, worthy

brechen (i), a, o, to break

die **Bremse**, =n, brake

brennen, brannte, gebrannt, to burn

der **Brettersteg,** =(e)s, =e, wooden foot-bridge

bringen, brachte, gebracht, to bring; in Ordnung —, to arrange

die **Brosame,** =n, crumb

das **Brotbrett,** =(e)s, =er bread-board

die **Brotkugel,** =n, ball of bread

brotlos, unprofitable

brüchig, damaged, full of holes

die **Brücke,** =n, bridge

brummen, to grumble

der **Brunnen,** =s, =, well

die **Brusttasche,** =n, breast-pocket

bst! listen!

der **Bub(e),** =en, =en, boy, fellow

das **Büble,** =s, =, little fellow

sich **bücken,** to stoop, bend

das **Bügeleisen,** =s, =, flat-iron

bügeln, to iron, press

bummeln (f.), to loiter; to walk along

der **Bummler,** =s, =, loafer

der **Bürger,** =s, =, person of the middle class, burgher

der **Bürgermeister,** =s, =, mayor, burgomaster

Burlach, *an apparently fictitious name for a village in the Black Forest*

der **Bursche,** =n, =n, fellow

die **Bürste,** =n, brush

bürsten, to brush

D

da (*subor. conj.*), as, since, because; (*adv.*), there, then, when; — drüben, over there; — und dort, here and there

dabei, by that, by it, thereby; in doing so, at the same time; und — blieb sie schließlich, and this was her final opinion; — sein,

to be present; aber es war keiner —, but there was nobody among them

dabei=stehen*, to stand by

da=bleiben* (f.), to stay; wir können ja noch —, we can stay yet a while

das **Dach,** =(e)s, =er, roof; attic; für die Nacht ein — zu suchen, to look for a night's lodging

die **Dachkammer,** =n, garret, attic

der **Dachstock,** =(e)s, =e, garret, attic; zum — hinauf, up to the attic

dafür, for it, for that, in return

dagegen, against it; on the other hand; hatte ich nichts —, I had no objection

daheim, at home

das **Daheimsein,** =s, being at home

dahin, to that place

dahin=gehen* (f.), to walk along

da=lassen*, to leave behind

da=liegen*, to lie there; to lie awake

damalig, of that time

damals, at that time, then, in those days

damit, with it *or* that; saying this; in order that; es ist also nichts —, nothing therefore can come of it; — war es nichts, that could not be thought of

dämmerig, dusky

dämmern, to dawn; to grow dusk; es dämmert mir wieder, it dawns upon me again

die **Dämmerung,** =en, twilight

der **Dampf,** =(e)s, =e, steam

danach, after that; for that *or* it

daneben, beside (it), near it, next to it

der **Dank**, =(e)s, thanks; ich sage dir schönen —, I thank you very much; Gott sei —, thank God

dankbar, grateful

die **Dankbarkeit**, gratitude

danken, to thank; danke, I thank you; danke schön, many thanks

darauf, afterwards, thereupon

darin, in it; at that; in that respect

dar=stellen, to represent

darüber, about it *or* that; over it

darum, for that, on that account, therefore; nevertheless

da=sitzen*, to sit there

da=stehen*, to stand there

die **Dauer**, duration, length of time; für jede —, for any length of time; für die —, for long duration

dauern, to last

der **Daumen**, =s, =, thumb

davon, of it *or* that, of them; es kommt —, it comes as the result

davon=gehen* (f.), to go away

davon=laufen* (f.), to run off

dazu, thereto, besides; for the purpose; in addition

dazu=geben*, to add to it

dazumal, at that time

dazwischen, in between

die **Decke**, =n, cover

decken, to cover; der Tisch war gedeckt, the table was set

denken, dachte, gedacht, to think, intend; — an, to think of; denke dir, just think; ich konnte aber nicht daran, von ihr zu lassen, I could not think of giving her up; sich (*dat.*) — können, to be able to think *or* imagine

denn, for; then; anyway; — auch, I wonder; ja, was ist —? well, what is the matter? er ging — auch, so he went; zu was — auch, for what purpose, I wonder; was ist es — auch für Zeit? what time is it, anyway? verstehst du — nicht, don't you understand? wo kommst du — her? where do you come from, anyway? ist sie — auch gesund? is she really well?

dennoch, yet, nevertheless, however

derweil, meanwhile

deshalb, therefore

dessen (*gen. of rel. pron.* der), whose

desto, the; je ... —, the ... the

deswegen, on that account, for that reason; — doch, just the same, nevertheless

deutlich, distinct, clear

dicht, thick; close

der **Dichter**, =s, =, poet

dick, dense, thick

der **Dieb**, =(e)s, =e, thief

der **Dienst**, =(e)s, =e, service, position

der **Dienstherr**, =n, =en, employer

die **Dienstmagd**, ⸗e, servant girl

doch, still, yet, after all, really, to be sure, certainly, surely, at least, anyway; es steht ja — leer, it stands vacant anyway; verlohnt — nicht recht, is apparently not quite worth while; ihr habt — gesagt, you know you have said

der **Do′genpalast**, =(e)s, ⸗e, the Doge's Palace in Venice, *the building of which occupied the two centuries following 1301, is one of* *the most picturesque buildings in the world*

der **Doktor**, =s, Dokto'ren, doctor; physician

donnern, to thunder

das **Doppelte**, =n, the double amount, as much again

der **Doppelton**, =(e)s, ⸗e, double note

dorfeinwärts, into the village

die **Dornranke**, =n, shoot of thorn

dorthin, to that place

dran, on (in) it, with it

drang, close

drängen, to press, push

sich **dran-machen,** to busy oneself

draußen, outside

der **Drechsler**, =s, =, turner

drei, three; zu —en Karten spielen, to play a three-handed game of cards

dreibeinig, three-legged

drin, in it; in seinem Sarg —, in his coffin

drin-bleiben* (s.), to remain in there; es bleibt auch keiner länger drin, no one stays longer in there either

drinnen, within, inside; da —, in there

droben, upstairs, there above, up there

drohen (*w. dat.*), to threaten

drollig, droll, funny, amusing

drüben, over there, yonder, over yonder; opposite; da —, over there

drücken, to press, clasp; sich näher —, to sneak closer

drum = darum, for that *or* it, on that account

drunten, below (there)

der **Duft**, =(e)s, ⸗e, odor, fragrance

duften, to be fragrant

dulden, to tolerate, allow

das **Dulden**, =s, endurance

dumm, dull, stupid

die **Dummheit**, =en, stupidity; *pl.,* foolish tricks

dunkel, dark; mystical

das **Dunkel**, =s, darkness

dunkelblau, dark-blue

die **Dunkelheit**, =en, darkness

dunkeln, to grow dark; er sah die braunen Augen herüber—, he saw the lustre of her brown eyes gleam in his direction

dunkelrot, dark-red

das **Dunkelwerden**, =s, getting dark

dünn, thin, fine; weak

durchaus, absolutely

durchdringend, penetrating

sich **durch-fechten** (i), o, o, to fight one's way through

durch-füttern, to support

durch-kommen*(s.), to get through; ich komme schon durch, I'll manage all right

dürfen (darf), durfte, gedurft, may, to be permitted, allowed; Ihr dürft nicht schlecht von mir denken, you must not think badly of me

dürr, dry

Duse: *Elionore Duse* (1859—1924), *celebrated Italian actress, was generally acclaimed as one of the few greatest actresses of the world*

E

eben, just, simply

ebenso, just as, likewise

das **Eck,** =(e)s, =e, edge, corner
die **Ecke,** =n, corner
eh(e), before
das **Eheglück,** =(e)s, happiness of married life
ehemalig, former
eher, sooner
der (die) **Ehrbare,** =n, =n, respectable person
die **Ehre,** =n, honor
ei, why
eia! why! well!
die **Eidechse,** =n, lizard
der **Eierkuchen,** =s, =, pancake, omelette
der **Eifer,** =s, zeal
eifrig, eager
eigen, own; peculiar
der **Eigensinn,** =(e)s, obstinacy; du bist ein —, you are a stubborn person
eigentlich, real, particular; (adv.), really, anyhow
das **Eigentum,** =(e)s, ⸗er, property
die **Eile,** haste, hurry; in aller —, in a great hurry
eilig, hasty, hurried; — hab' ich's nicht, I am not in a hurry
sich (dat.) **ein=bilden,** to imagine; to flatter oneself
der **Eindringling,** =(e)s, =e, intruder
einerlei, one and the same
einfach, simple; so —, without more ado
ein=fädeln, to thread
die **Einfahrt,** =en, gateway, entrance
ein=fallen* (s.), (w. dat.), to occur (to one's mind); to join; mit —, to join in

sich **ein=finden*,** to come, appear, arrive; der sich bei ihm einfand, who came to him
das **Eingangsgitter,** =s, =, entrance-gate (trellised)
ein=gehen* (s.) (auf), to agree (to)
eingekniffen, half closed
eingenommen, heavy, dull
eingesunken, sunk in
der **Einheimische,** =n, =n, native
einher=gehen* (s.), to wander about
einig, united; — werden, to agree
einige, some, several, a few
ein=laden*, to invite; zum Schlafen —, to invite to sleep
die **Einladung,** =en, invitation
sich **ein=lassen*** (auf), to engage (in); sonst hätt' ich mich auch gar nicht darauf eingelassen, otherwise I should not have agreed to it at all
einmal, once, one time; some (future) time; auf —, all of a sudden; noch —, once more, sag' —, just tell me; — vor Euch nicht, certainly not of you
ein=richten, to arrange; sich —, to settle oneself; und richtete mich an meinem Tische noch auf einiges Bleiben ein, and settled down at my table to stay a while longer
die **Einsamkeit,** loneliness, solitude
ein=saugen, o, o, to inhale
ein=schlafen* (s.), to fall asleep
das **Einschlafen,** =s, falling asleep; er war nahe am —, he was near falling asleep
ein=schlagen*, to take
ein=sehen*, to see, realize
ein=setzen, to set in, begin

der **Einſpänner,** =s, =, one-horse vehicle

ein=ſperren, to shut up, confine

ein=ſteigen* (ſ.), to get in

einſtig, former

ein=ſtimmen, to join in

einſtweilen, meanwhile; for the present

der **Eintrag,** =(e)s, ⸗e, entry

ein=treten* (ſ.), to enter, step in

das **Eintreten,** =s, entering; im —, while entering

der **Einwurf,** =(e)s, ⸗e, suggestion; objection

einzeln, single, individual

ein=ziehen* (ſ.), to march into

einzig, single, only

das **Eiſen,** =s, =, (flat-)iron

die **Eiſenbahn,** =en, rail-road; haſt du nicht damals zur — gewollt? didn't you want a job then with the railroad company?

der **Eiſenring,** =(e)s, ⸗e, iron ring

eiſern, iron, of iron

die **Eleganz,** elegance

elend, miserable

empfangen (ä), i, a, to receive

empfinden*, to feel

empfindſam, sensitive

die **Empfindſamkeit,** =en, susceptibility

empor=richten, to raise

empor=ſehen*, to look up

empor=ſtechen* (ſ.), to rise up

empor=ſteigen* (ſ.), to ascend

empor=wirbeln (ſ.), to whirl upward

das **Ende,** =s, -n, end; ein — finden, to come to an end; am —, perhaps, in the end; zu — ſein, to be through; daß es mit ihm zu

— gehe, that he was approaching his end

energiſch, energetic

eng, close

der **Engel,** =s, =, angel; in den — gehen, to go to the Inn at the Sign of the Angel

die **Ente,** =n, duck

entgegen (*prep. preceded by dat.*), toward

entgegen=klingen* (ſ.), to sound towards

entgegen=laufen* (ſ.), to run to meet

entgegen=ſchlagen*, to meet

entgegen=ſtrecken, to extend toward, offer

das **Entkleiden,** =s, undressing

entlaſſen*, to dismiss

ſich entſchuldigen, to excuse oneself

entſchwinden, a, u (ſ.), to disappear, vanish

entſtellt, deformed

enttäuſcht, disappointed

die **Enttäuſchung,** =en, disappointment

entweder ... oder, either ... or

die **Entwicklung,** =en, development

entzündet, inflamed

das **Erbe,** =s, heritage, inheritance; zum —, as heritage

erbittert, provoked

erfahren*, to experience; to find out; to come to know, learn

die **Erfahrung,** =en, experience

die **Erfindung,** =en, invention

erfreut, pleased

erfüllen, to fill; ſich —, to be fulfilled

die **Erfüllung,** =en, fulfillment

ſich ergeben*, to indulge; to submit

ergehen*, über sich — lassen, to bear patiently

ergreifen*, to seize

erhaben, noble, fine

erhalten, preserved, kept

sich **erheben***, to rise

sich **erinnern** (*w. gen.*), to remember, recall; dessen er sich erinnerte, whom he remembered; sich — an, to call to mind

die **Erinnerung**, -en, recollection

erkennen*, to know, perceive, recognize

die **Erkenntnis**, -nisse, realization

das **Erkennungszeichen**, -s, -, conventional sign

die **Erklärung**, -en, explanation

sich **erkundigen**, to inquire, make inquiries

erlauben (*w. dat.*), to permit, allow

erlaufen*, to reach (by running); dann erlauft Ihr's in keinem Jahr, then you will not reach it within a year

erleben, to experience

das **Erlebnis**, -nisses, -nisse, experience; war mir noch nicht zum — geworden, I had not yet experienced

erleuchtet, illuminated

sich **erlösen**, to free or release oneself

ermahnend, admonishing

ermüden (s.), to grow weary; to tire, fatigue

sich **ermuntern**, to arouse or encourage oneself

der **Ernst**, -es, earnestness; es ist mir —, I am in earnest; im —, seriously

ernsthaft, serious, earnest

ernten, to harvest

erregend, exciting

erregt, excited, agitated

die **Erregung**, -en, excitement

erreichen, to arrive at; to achieve, attain

erscheinen* (s.), to appear

erschrecken (i), erschrak, o (s.), to be frightened

erschrecken, to frighten

erst, first, only; not until

das **Erstaunen**, -s, astonishment; in — setzen, to astonish, amaze

erstaunt, astonished

ersteigen*, to ascend, climb

ertasten, to find by fumbling

ertrinkend, drowning

erwachen (s.), to awake

der (die) **Erwachsene**, -n, -n, adult

erwärmen, to inspire, encourage

erwarten, to expect

die **Erwartung**, -en, expectation

erwartungsvoll, expectant

erwecken, to awaken

erzählen, to tell, narrate, relate; to report

die **Esse**, -n, forge

essen (ißt), aß, gegessen, to eat

das **Essen**, -s, meal; man setzte sich zum —, they sat down to eat or to dinner

der **Eßtisch**, -es, -e, dining table

etwa, perhaps, possible, about

etwas, something, somewhat, a little; noch —, another thing; ohne — zu sehen, without seeing anything

ewig, everlasting, eternal

die **Ewigkeit**, -en, eternity

extra, extra, special

F

fabelhaft, wonderful

der Faden, -s, -̈, thread

fahnden, to search

fahren (ä), u, a (f.), to drive

das Fahren, -s, driving, riding

die Fahrt, -en, ride, drive

der Fall, -(e)s, -̈e, case; auf alle Fälle, at all events

fallen (ä), fiel, a (f.), to fall

falls, in case, if, supposing that

die Familie, -n, family

die Farbenflamme, -n, flame of colors

fassen, to catch, seize

fast, almost

die Federdecke, -n, feather cover

fegen, to sweep

fehlen, to miss; to be wanting or lacking; to ail; das fehlte gerade noch! heaven forbid! I should say not! wo fehlt's, where is the trouble; es fehlte ihm nie an Freunden, he was never lacking in friends; und es fehlte wenig, so wäre er..., a little more, and he would have...; es hat mir nicht an Freiheit und an Schönem gefehlt, I did not lack freedom and beautiful things; mir fehlt weiter nichts, nothing ails me at all

der Fehler, -s, -, mistake

fehl-schießen, schoß fehl, fehlge- schossen, to miss one's aim; fehl- geschossen! mistaken! wrong!

der Feierabend, -s, -e, time for leaving one's work; time of rest; jetzt müssen wir — machen, now we must go to bed; schon wieder —? you are going to rest again?

der Feierabendschritt, -(e)s, -̈e, holiday walk or gait

feiern, to celebrate

die Feile, -n, file

fein, thin, nice, elegant

feindlich, hostile

feindselig, malignant

feinfühlig, sensitive

die Feinheit, -en, fineness; refine- ment

das Feinste, -n, nicest

das Feld, -(e)s, -er, field

feldeinwärts, cross-country

das Fell, -(e)s, -e, fur; skin

der Fensterladen, -s, - or -̈, win- dow-shutter

das Fensterloch, -(e)s, -̈er, win- dow-opening

die Fensterscheibe, -n, window pane

fern, far away

die Ferne, -n, distance

fertig, finished; als er — war, when he had finished; ich bin — damit, I am through with it; aus und —, absolutely finished; als wir — gegessen hatten, when we had finished eating

fest, solid, tight

fest-halten*, to hold fast

festlich, solemn, festive

die Festlichkeit, -en, festivity

fest-machen, to fasten

fest-stellen, to confirm

das Fett, -(e)s, -e, grease

feucht, moist, damp

das Feuerwerk, -(e)s, -e, fireworks

die Fiber, -n, fibre

der Fichtenbaum, -(e)s, -̈e, pine- tree; common spruce

der Fichtenwald, -(e)s, -̈er, pine forest

das Fieber, =s, =, fever

der Filz, =es, =e, felt(hat)

der Filzhut, =(e)s, =e, felt(cap)

finden, a, u, to find; to think; ein Ende —, to come to an end

der Finger, =s, =, finger; wir müssen dir auf die — sehen, we must keep a strict eye upon you

finster, dark; im Finstern, in the dark

die Finsternis, =nisse, darkness

der Fisch, =es, =e, fish

flanieren (f.), to saunter

die Flasche, =n, bottle

flechten (i), o, o, to plait

der Flecken, =s, =, spot

flehentlich, imploring

fleißig, diligent, industrious; quick, skilled

der Fliederbaum, =(e)s, =e, elder-tree

fliegen, o, o (f.), to fly

fließen, o, geflossen (f.), to flow

fluchen, to curse

flüchtig, hasty, casual, slight

der Flügel, =s, =, wing

flußaufwärts, up-stream

das Flußtal, =(e)s, =er, river valley

flüstern, to whisper

der Flüsterton, =(e)s, =e, whisper

föhnig, stormy, tempestuous

folgen (f.), (w. dat.), to follow

das Forellenfangen, =s, trout catching

fort, gone; off, away; wollt Ihr denn schon wieder —? why, do you want to go so soon? ich muß —, I must go away

fort=fahren* (f.), to continue

fort=gehen* (f.), to go away, go off, leave

fort=laufen* (f.), to run away

fort=plaudern, to chat on

fort=reisen (f.), to depart, leave

fort=rennen* (f.), to run away; das Rößlein rennt dir nicht fort, your horse will not run away from you

der Fortschritt, =(e)s, =e, progress

fort=setzen, to continue

fragen, to ask; — nach, to ask for; nach kurzem Fragen, after a short inquiry

die Frau, =en, woman; wife; mistress, Mrs; Herr, Frau, and Fräulein are often ceremoniously prefixed to titles and nouns of relationship; der Herr Doktor, the doctor; Ihre Frau Mutter, your mother; Ihr Fräulein Schwester, your sister; die Frau Meisterin, master's wife

das Frauelein, =s, =, little wife

frei, free; ich bin so —, I take the liberty; — haben, to be free or off duty; — hätte ich schon, I would be free all right

das Freie, =n, the open air

freilich, of course, indeed, to be sure, certainly; aber —, why certainly

fremd, strange, foreign

die Fremde, =n, foreign country; in der —, abroad; away from home

das Fremdsein, =s, loneliness, feeling of being a stranger

die Freude, =n, joy, pleasure; sie hat keine —, she will not be glad; — haben an, to take delight in, enjoy, be pleased with

das **Freudenfeuer**, =s, =, bonfire;
   joyous impulse; ein — um das
   andere, one joyous impulse after
   another

das **Freudenfieber**, =s, =, fever of joy

freudig, joyful

sich **freuen**, to be glad; to enjoy;
   to find pleasure in; sich — auf,
   to look forward to

freundlich, friendly, kind; cheerful

die **Freundschaft**, =en, friendship;
   eine — schließen, to form a friendship

freundschaftlich, friendly, in a
   friendly manner

das **Freundsein**, =s, being a friend

der **Friede(n)**, =ns, peace

friedsam, peaceful

der (die) **Frierende**, =n, =n, person
   shivering (with cold)

frischgewaschen, freshly washed

frischwangig, fresh-cheeked

froh, happy, joyful

fröhlich, joyful, happy

fromm, pious, religious

die **Frömmigkeit**, =en, piety; es ist
   nichts mit der —, I don't think
   much of piety

die **Front**, =en, front, row

frösteln, to shiver

fruchtbar, fertile

früh, early; gestern —, yesterday
   morning; von —er her, from
   former times

die **Frühe**, early morning

die **Frühlingslaune**, =n, spring
   mood

der **Fuchs**, Fuchses, Füchse, fox

sich **fügen**, to submit

sich **fühlen**, to feel; sich wohl —,
   to feel well

führen, to lead; to carry

der **Fünfziger**, =s, =, *coin of fifty
   pfennigs, equal to about 12 cents*

funkeln, to sparkle

die **Furcht**, fear

fürchten, to fear, be afraid

der **Fußboden**, =s, ⸗, floor

das **Fußwandern**, =s, walking

der **Fußweg**, =(e)s, =e, pathway

G

die **Gabe**, =n, gift, talent

gähnen, to yawn

galant', courteous, polite

der **Gang**, =(e)s, ⸗e, corridor; alley,
   passage, walk

das **Gänsegeschwader**, =s, =, flock
   of geese

ganz, quite; whole, entirely, complete; altogether; im —en, upon
   the whole; eine —e Weile, for
   quite a while

gar, at all; perhaps; — kein, no
   ... at all; — nichts, nothing
   else, nothing at all; warum nicht
   —! you don't say! — kein Geld
   mehr, no more money at all

der **Gartenbesitzer**, =s, =, owner of
   a garden

der **Gartenhag**, =(e)s, =e, garden
   hedge

der **Gartentisch**, =(e)s, =e, garden
   table

der **Gartenweg**, =(e)s, =e, garden
   path

der **Gartenzaun**, =(e)s, ⸗e, garden
   hedge

die **Gasse**, =n, narrow street

der **Gast**, =es, ⸗e, guest

das **Gastbett**, =(e)s, =en, spare bed

die **Gastfreundschaft**, =en, hospitality

das **Gasthaus,** Gasthauses, Gast=
häuser, inn, restaurant

das **Gastzimmer,** =s, =, spare *or*
guest room

der **Gaul,** =(e)s, ⸗e, horse, nag

geben (i), a, e, to give; sich Mühe
—, to take pains; Antwort —,
to answer; es gibt, there is (are);
das gibt keine rechten Leute, they
are not the right people

das **Gebirge,** =s, =, mountain(s)

gebogen, curved, bent

geboren, born

die **Geborgenheit,** security

der **Gebrauch,** =(e)s, ⸗e, use; in
— nehmen, to make use of

das **Gebüsch,** =es, =e, bush

das **Gedächtnis,** =nisses, =nisse,
memory

gedämpft, suppressed; mit —er
Stimme, in an undertone

der **Gedanke,** =ns, =n, thought, idea;
fing die Frau schon an sich —n
zu machen, the woman began to
feel uneasy; da müßt Ihr Euch
keine —n machen, you must not
worry about it; du hast auch
einmal andere —n im Kopf ge=
habt, you had once other plans
too

das **Gedankenmachen,** =s, medi-
tating

gedankenvoll, thoughtful, pensive

der **Gedankenweg,** =(e)s, =e, train
of thoughts *or* ideas

das **Gedicht,** =(e)s, =e, poem

gedruckt, printed

die **Geduld,** patience

das **Gefährt,** =(e)s, =e, vehicle

gefallen* (*w. dat.*), to like; to
please; alles gefiel ihr wohl,

she liked everything well; von
der Art, die ihm gefiel, of the
kind he liked; wie gefällt's dir?
how do you like it? sich — lassen,
to put up with; das lasse ich mir
—, that's nice, that's the way I
like it

der **Gefalle(n),** =ns, =n, pleasure;
favor

gefangen, caught

das **Gefühl,** =(e)s =e, feeling

gegen, against; toward; — das
Bett hin, towards the bed

die **Gegend,** =en, neighborhood;
region

das **Gegenteil,** =(e)s, =e, opposite

gegenüber (*preceded by dat.*), opposite; ihm —, opposite him

geheim, secret; — tun, to act
mysteriously; to affect to know
secrets

das **Geheimnis,** =nisses, nisse, secret

geheimnisvoll, mysterious

gehen, ging, gegangen (s.), to go,
walk; im Gehen, while walking;
— wir, let us go; das geht nicht,
that wouldn't do; da ging das
Tor, then the gate was opened;
es geht halt nicht, it simply won't
do; da es mir nicht ans Herz
ging, since it did not touch me
deeply; kam er gegangen, he
came walking; es geht so, I am
satisfied; wie geht's sonst? how
do you feel otherwise; es sei ihm
schlecht gegangen, he had not
been in good health; wenn es
ihm schlecht ging, when he fared
badly; und sehen, wie's geht,
and see how you are; mir ist es
damals immer so gegangen, it

then always happened to me thus; **so geht mir's heute**, so it is with me today; **das ging ihm oft so**, that happened to him often; **es tat ihm leid, daß es so gegangen war**, he was sorry that it had happened that way

das Gehölz, =es, =e, wood

gehören (w. dat.), to belong; **gehört er ordentlich gepflegt**, he should be cared for properly

gehorsam, obedient; submissive

die Geige, =n, violin

der Geist, =es, =er, ghost; spirit

das Gelände, =s, =, ground, region

gelassen, calm

geläufig, familiar; fluent

gelaunt, disposed

der Geldbeutel, =s, =, purse, money-bag

das Geldstück, =(e)s, =e, piece of money, coin

gelegen, convenient; **daran war ihm jetzt nicht —**, it was of no importance to him now

die Gelegenheit, =en, opportunity

gelegentlich, occasionally

der Gelehrte, =n, =n, scholar, scientist

das Gelenk, =(e)s, =e, joint

gelernt, learned; experienced

gelingen, a, u (s.), (impers. w. dat.), to succeed (in); **es gelang ihm**, he succeeded; **ehe das Barbieren gelang**, before he succeeded in shaving

gelt? is it not so? please; indeed

gelten (i), a, o, to be esteemed; to be valid; to be current; **es konnte für eine Ehre —**, it could

be considered an honor; **und morgen läßt du sie nimmer —**, and tomorrow you disregard or drop it; **es soll meinetwegen —**, be it so, for all I care

gemein, common; **— haben**, to have in common

gemessen, sedate; thoughtful

genau, exact, careful, close, thorough; **ich weiß es noch genau**, I know for certain

das Genie', =s, =s, talent

genießen, o, genossen, to enjoy; to eat; **ich nehm's für genossen an**, I do not insist on getting it

genießerisch, with enjoyment

der Genuß, Genusses, Genüsse, enjoyment

geöffnet, opened

gepflastert, paved

gerade, straight; just; **ich komme ja — recht**, I see, I am just in time; **ich will es — auch werden**, I am just about to become so (religious) myself

geradeaus, straight ahead

geradezu, point blank

geraten* (in) (s.), to come (into)

das Geräusch, =es, =e, noise

geräuschlos, noiseless

der Gerber, =s, =, tanner

die Gerberei, =en, tannery

der Gerbergarten, =s, =̈, tanner's garden

die Gerbergasse, =n, Tanner Street

der Gerbergeselle, =n, =n, journeyman tanner

der Gerbermeister, =s, =, master tanner

Gerbersau, *an apparently fictitious name for a town in the Black Forest* *district. It seems to answer to the description of Calw, the author's native place*

der **Gerbersteg,** =(e)s, =e, tanner's foot-bridge

die **Gerberstochter,** ̈, tanner's daughter

der **Gerechte,** =n, =n, righteous man

gern(e) (*adv.*), readily, willingly, gladly; — machen, to like to make; — haben, to like, be fond of; Ihr wißt, daß ich Euch ganz — habe, you know that I like you quite well

Gertelfingen, *an apparently fictitious name for a village in the Black Forest*

der **Geruch,** =(e)s, ̈e, fragrance, smell, odor

der **Gesang,** =(e)s, ̈e, song

das **Geschäft,** =(e)s, =e business

geschehen (ie), a, e (f.), (*w. dat.*), to happen; to be done

gescheit, wise, sensible

die **Geschichte,** =n, story; history, tradition

geschickt, able, skillful

das **Geschirr,** =(e)s, =e, dishes

geschlossen, closed

geschwind, quick, fast

der **Geselle,** =n, =n, journeyman. *Before the development of trade schools young men were apprenticed to a master of a trade for a term of years (usually five). They then travelled as journeymen and secured employment in various cities to complete their training*

das **Gesellenbett,** =(e)s, =en, bed reserved for the journeyman

die **Gesellenkammer,** =n, bedroom for journeymen

die **Gesellschaft,** =en, fellowship, company, society

das **Gesicht,** =(e)s, =er, face, look; eye; er machte ein so trostlos betrübtes —, he looked so disconsolately sorrowful

gespannt, eager

gespenstisch, ghostlike

das **Gespräch,** =(e)s, =e, conversation

gesprächig, talkative

die **Gestalt,** =en, figure

gestrickt, knitted

gestrig, of yesterday

gesund, well, healthy

das **Getäfel,** =s, paneling

das **Getränk,** =(e)s, =e, drink

die **Gewalt,** =en, force; mit —, forcibly

gewaltsam, forced

das **Gewebe,** =s, =, weaving

das **Gewerbe,** =s, =, trade

gewinnen, a, o, to gain, win over

das **Gewirre,** =s, confusion

gewiß, undoubted, certain

das **Gewissen,** =s, =, conscience

die **Gewißheit,** =en, certainty

der **Gewitterdunst,** =es, ̈e, sultry air before a thunder storm

gewogen, kindly disposed, favorably inclined; — sein, to be friendly

gewöhnlich, ordinary

gewöhnt, accustomed

gewohnt, accustomed; man bleibt gern beim Gewohnten, one likes to continue in one's habits

gewürfelt, checkered

der **Giebel,** =s, =, gable, house-top

der **Glanz**, -es, -e, splendor

glänzen, to shine

das **Gla'smosai'k**, -en, glass mosaic

glatt, even, smooth

glätten, to smooth (with an iron)

glauben (*w. dat.*), to believe; — an, to believe in; ich glaub's Ihnen ja doch nicht, I don't believe you anyway

gläubig, believing, credulous

glaubwürdig, worthy of belief, credible

gleich, alike; the same; immediately, at once; in der —en Volksschulstube, in the same room of the elementary school;—wieder, right away; zu —er Zeit, at the same time: und nicht — wieder ein Ende haben soll, and is not to end right away

gleichmäßig, even, regular

gleiten, glitt, geglitten (f.), to slip

das **Glied**, -(e)s, -er, limb

die **Glocke**, -n, bell

die **Glockenblume**, -n, blue-bell

das **Glück**, -(e)s, happiness; luck

glücklich, happy

der **Glücksvogel**, -s, -, lucky fellow

glühend, glowing; in der —en Sommerzeit, in the glowing heat of summer

die **Glut**, -en, passion

fich (*dat.*) **gönnen**, to permit, allow oneself

der **Gott**, -es, -er, God; lieber —, good heavens; — fei Dank, thank God; der liebe —, God; grüß —! good day!

gottlob, thank heavens

der **Götze**, -n, -n, idol

das **Grab**, -(e)s, -er, grave

graben (ä), u, a, to dig

grad = gerade, just

der **Graf**, -en, -en, count

grafen, to graze

der **Grasplatz**, -es, -e, grass-plot

graublau, grayish blue

graufam, cruel

greifen, griff, gegriffen, to grasp; er griff in die Brusttasche, he put his hand in his breast-pocket; — nach, to grasp for, take hold of

grob, coarse; clumsy

groß, large, big, great; tall; überall erfuhr er Großes und Kleines, everywhere he found out both important and unimportant events

der **Große**, -n, -n, big one; grown-up (person)

die **Großmama**, -s, grandmother

groß-tun*, to brag

die **Grube**, -n, pit; vat

der **Grund**, -(e)s, -e, ground; valley, dale; bottom

gründlich, thoroughly

das **Grundstück**, -(e)s, -e, piece of ground, plot of land

grüngemalt, painted green

grüßen, to greet; grüß Gott! good day!

gut, good, well, fine; es — haben, to be well off; da haben Sie's ficher — gehabt, there, no doubt, you had a fine position; wir wollen es — fein laffen, *see under* laffen; im —en, amicably, in a friendly manner; eine —e Stunde, a full hour

das **Gute**, -n, the good; etwas —s, something good *or* pleasant;

—s, good things; alles — auch,
I wish you the best of luck
gutmütig, good-natured
das Gutfein, being good

H

haben (hat), hatte, gehabt, to have;
hat's nicht auch Zeit? can't you
wait?
hageln (*impers.*), to hail; wenn's
nicht gerade Katzen hagelt, if it
does not just hail cats and
dogs
der Hagelschlag, =(e)s, =e, hail-
storm
hager, haggard
Haiterbach, *apparently fictitious name
for a village in the Black Forest*
halb, half; — zehn, half past nine;
mit —er Stimme, in an under-
tone; eine halbe Stunde, half
an hour
das Halbdunkel, =s, twilight
halblaut, in an undertone
halboffen, half open
der Halbschlummer, =s, light slumber, drowsy state
halbtot, half dead; mein Vater hat
mich — geschlagen, my father
nearly killed me
halbvoll, half full
halbwegs, half way
die Hälfte, =n, half
das Halleluja, =s, =s, hallelujah
der Hals, Halses, Hälse, neck; was
einer Freundschaft den — brechen
kann, that can break up *or* ruin
a friendship
halt, simply, just; es geht — nicht,
it simply won't do
der Halt, =(e)s, =e, hold

halten (ä), ie, a, to hold, keep;
to observe, practice; to last;
— für, to take to be; to consider; sich — an, to depend upon,
keep to
halt-machen, to stop
die Hand, =e, hand; die — geben,
to shake hands; zur — nehmen,
to take in hand; in die hohle —,
in the hollow of his hand
die Handarbeit, =en, manual labor
der Handel, =s, =, affair
der Handlungsreisende, =n, -n,
traveling salesman
die Handorgel, =n, accordion
das Handwerk, =(e)s, =e, trade
der Handwerker, =s, =, tradesman,
artisan
das Handwerkergesicht, =(e)s, =er,
tradesman's face
der Handwerkergruß, =es, =e, greet-
ing of tradesmen
der Handwerksbursch(e), =en, =en,
traveling artisan
der Handwerksmeister, =s, =, master
(of a trade)
hängen *or* hangen (ä), i, a (*intrans.*),
to hang
hänseln, to tease
die Harmo'nika, =s *or* Harmoniken,
harmonica
hartholzen, (of) hardwood
die Haselnuß, Haselnüsse, hazel-
nut; es gab noch Haselnüsse
genug, there were still enough
hazel-nuts
die Hauptsache, =n, chief thing,
principal part; das, was die —
an mir ist, that which is the
principal part of me
das Haus, Hauses, Häuser, house;

im Rothfußschen —e, in the house of the Rothfuß family

der Hausbesitzer, =s, =, proprietor (of a house)

der Hausbewohner, =s, =, inmate of a house

die Hausecke, =n, corner of the house

der Haushalt, =(e)s, =e, household; ein eigener —, one's own household

die Haushälterin, =nen, housekeeper

der Hausherr, =n, =en, master of the house

die Häuslichkeit, =en, domesticity, home

der Hausstand, =(e)s, =e, household

das Haustor, =(e)s, =e, street-door

das Hauswesen, =s, =, household

der Hauswirt, =(e)s, =e, host

die Haut, =e, skin

he, hey

heben, o, o, to lift, raise

der Heckenpfad, =(e)s, =e, lane between hedges

heda! hey there!

heftig, forcible, strong

die Heftigkeit, =en, impetuosity

der Heiland, =(e)s, =e, Savior; *the reference is to St. Mark, 10, 13—16 and St. Luke 18, 15—17*

heilig, holy, saintly

der Heilige, =n, =n, holy man, saint

heillos, dreadful

die Heils'armee', =n, Salvation Army

die Heimat, =en, home, native place *or* country; der — zu, towards home

heimatlich, native, homelike

der Heimatlose, =n, =n, person without a home

heimelig, home-like

heim=gehen* (f.), to go home

das Heimgehen, =s, going home; zum —, for going home

der Heimgekehrte, =n, =n, person returned home

heim=kommen* (f.), to get home

heimlich, secret

die Heimlichkeit, =en, secrecy

heimwärts=laufen* (f.), to run homeward; im Trabe —, to trot homeward

der Heimweg, =(e)s, =e, way home

das Heimweh, =(e)s, homesickness

heiraten, to marry

heiser, hoarse

heißen, ie, ei, to call; to be called; to bid; eintreten —, to bid to come in; wie — Sie? what is your name? es hieß, it was said

helfen (w. dat.), (i), a, o, to help; der nicht mehr zu — war, who could not be helped any more

hell, clear, ringing; light, bright; am —en Tage, in broad daylight

hellblau, light blue

hellgrau, light gray

die Helligkeit, clearness

hellrot, light red

das Hemd, =(e)s, =en, shirt

der Hemdärmel, =s, =, shirt-sleeve

hemdärmelig, in shirt sleeves

der Hemdkragen, =s, =, shirt-collar

her, hither; vom Marktplatz —, from the market-place; wenn ich hinter etwas Neuem — war, see hinter; von früher —, from former times; damit ist es nicht ſo weit —, they do not amount to much

herab=kommen* (ſ.), to come down

herab=ſchlagen*, to let down

her=angeln, to pull over (toward one)

heran=treten* (ſ.), to step near

heran=ziehen* (ſ.), to draw near

herauf=blitzen, to sparkle *or* flash up

herauf=bringen*, to bring upstairs

herauf=klingen* (ſ.), to sound from below

herauf=kommen* (ſ.), to come up

heraus=bringen*, to utter, give utterance to

heraus=fiſchen, to fish out of

heraus=kommen* (ſ.), to come out

heraus=ſchauen, to look out

heraus=ſtrecken, to stretch out; ſie ſteckte den Kopf heraus, she put her head out of the window

heraus=ſuchen, to pick out

heraus=treten* (ſ.), to appear, come out

heraus=tun*, to put out

heraus=ziehen*, to draw out

die **Herberge**, =n, inn, lodging-house *(frequented especially by journeymen)*

der **Herbſthimmel**, =s, =, autumn sky

herbſtlich, autumnal

der **Herd**, =(e)s, =e, hearth

herein, hither, in here; — mit dir! in with you!

herein=brechen* (ſ.), to break in

herein=bringen*, to bring in

herein=kommen* (ſ.), to come in, enter

herein=können*, to be able to come in

herein=treten* (ſ.), to enter, step in

herein=ziehen*, to draw in, withdraw

her=geben*, to hand over, give

her=kommen* (ſ.), to come hither; to come from; wo kommſt du denn her? where do you come from, anyway?

der **Herr**, =n, =en, gentleman, sir, Mr.; Lord; (*Herr, Frau, and Fräulein are often ceremoniously prefixed to titles and nouns of relationship;* der — Profeſſor, the professor; Ihre Frau Mutter, your mother; Ihr Fräulein Schweſter, your sister); — werden, to master

der **Herrgott**, =es, Lord

herrje! good heavens!

herrlich, excellent; — ſchön, extremely beautiful

herrſchaftlich, lordly

ſich **her=ſetzen**, to sit down; ſetz' dich ein bißchen her, sit down near me a while

herüber=drehen, to turn to the side

herüber=dunkeln, *see* dunkeln

herüber=kommen* (ſ.), to come over

herüber=lächeln, to smile (in some one's direction)

herüber=rufen*, to call over

herüber=ſehen*, to look over

herüber=ſtrahlen, to shine (in some one's direction)

herum=fahren* (ſ.), to drive around

herum=laufen* (ſ.), to run around

ſich **herum-ſchleichen***, to sneak about

herum-ſtehen* (h. and s.), to stand around

herum-ſtrolchen (ſ.), to stroll about

herum-tanzen, to dance around

ſich **herum-treiben,** ie, ie, to loiter about

herunter, off; der Bart muß —, his beard has to come off

herunter-kommen* (ſ.), to come down

hervor-ſuchen, to bring forth, produce

das **Herz,** -ens, -en, heart; da es mir nicht ans — ging, since it did not touch me deeply; dem es ganz bis ins — hinein Ernſt war, who was touched by it very deeply

her-zeigen, to show

herzhaft, brave, courageous

die **Herzlichkeit,** -en, friendliness, cordiality

das **Heu,** -(e)s, hay

heulen, to howl, make a noise; to scream, cry; da wird geheult, then people are crying

hie: — und da, now and then

hier-bleiben* (ſ.), to stay

hierin, in this

hieſig, of this place, local

der **Himmel,** -s, -, sky, heaven; am Himmel, in the sky

hin, there, thither; gegen das Bett —, towards the bed; auf dieſen Abend —, after this evening

hinab, down

hinab-reichen, to reach down

hinab-ſchleichen* (ſ.), to sneak

down; er ſchlich die Treppe hinab, he sneaked down-stairs

hinab-ſteigen* (ſ.), to descend, go down

hinab-traben (ſ.), to trot down

hinab-verſchwinden* (ſ.), to descend; wie ſie in Eile die Treppe hinabverſchwand, how she went down-stairs in haste

hinan-ſteigen* (ſ.), to ascend, climb up

hinauf, up

hinauf-ſingen*, to sing up to; am Hauſe —, to serenade

hinauf-ſteigen* (ſ.), to ascend, go up

hinaus, out, away out; zur Stadt —, out of the town

hinaus-gehen* (ſ.), to go out, walk out

hinaus-laufen* (ſ.), to run out

hinaus-ſchieben*, o, o, to defer, postpone

hinaus-wollen: wo wollt Ihr hinaus? where do you want to go?

hin-drängen, to press toward

hindurch-ſehen*, to see through

hinein, in(to) (away from one)

hinein-führen, to lead in(to)

hinein-gehen* (ſ.), to go inside, go in(to)

hinein-kommen* (ſ.), to get or come in(to)

hinein-ſchauen, to look in(to)

hinein-ſingen*, to sing in(to)

hinein-ſteigen* (ſ.), to climb in(to)

hinfällig, perishable

hin-geben*, to give up; ſich — (w. dat.), to indulge in

hingegen, but, on the other hand

hin-gehen* (f.), to go (to)

hin-kommen* (f.), to come; heute kommt Jhr nimmer hin, today you will never get there

hin-laufen* (f.), to go to

fich **hin-legen,** to lie down

hin-leuchten, to light across

hin-schicken, to send to (a place)

hin-schlendern (f.), to saunter or stroll along

hin-stellen, to put down

hin-summen, to hum; vor fich —, to hum to oneself

hinten, behind, back; nach —, backwards; at the back (of the house)

hinter, behind, after; — uns her, behind our backs; wenn ich — etwas Neuem her war, when I was after something new

hinterdrein-sehen*, to follow (a thing or person with one's eyes)

das **Hinterhaus,** Hinterhauses, Hinterhäuser, rear dwelling or house

hin-tragen*, to carry (to a place)

hin-treiben, ie, ie (f.), to flow past

hin-tun*, to put, place

hinüber-blicken, to look across

hinüber-gehen* (f.), to go (over)

hinüber-rufen*, to call over

hinüber-schicken, to send over

hinüber-starren, to stare over

hinüber-steigen* (f.), to climb over

hinunter, down, downward

hinunter-blicken, to look down

hinunter-gehen* (f.), to go down

hinunter-rufen*, to call down

hinunter-schauen, to look down

hinunter-spucken, to spit down;

fpuckte zum offenen Fenfter hinunter, spat down through the open window

die **Hirschenmühle,** The Mill at the Sign of the Deer (which serves also as an inn)

die **Hitze,** heat

der **Hochmut,** -(e)s, arrogance

höchstens, at the most

die **Hochzeit,** -en, wedding

der **Hof,** -(e)s, ⸗e, yard, farm

hoffen, to hope; — auf, to hope for

hoffentlich, I hope, it is to be hoped

höflich, polite, courteous

die **Höhe,** -n, height; high in the air; top (of the hill)

der **Höhenrücken,** -s, -, mountain ridge

hohl, hollow; in die ⸗e Hand, in the hollow of his hand

die **Höhlung,** -en, hollow

holen, to fetch; du kannft dir ja den Tod —, you can easily catch a fatal cold

das **Holunderlaub,** -(e)s, elder foliage

das **Holz,** -(e)s, ⸗er, wood

hölzern, wooden

der **Holzladen,** -s, - or ⸗, wooden shutter

der **Holzspan,** -(e)s, ⸗e, shavings

der **Honig,** -s, honey

horchen, to listen; darauf —, to listen to it

der **Horizont',** -(e)s, -e, horizon

das **Horn,** -(e)s, ⸗er, horn; fich (dat.) die Hörner ablaufen, to sow one's wild oats

die **Hose,** -n, (pair of) trousers

das **Hosenbein**, =(e)s, =e, leg of the trousers

die **Hosentasche**, =n, trousers-pocket

der **Hosenträger**, =s, =, suspenders

der **Hufschmied**, =(e)s, =e, farrier

die **Hufschmiede**, =n, farrier's forge

der **Hügel**, =s, =, hill

das **Huhn**, =(e)s, =er, chicken

der **Hungerleider**, =s, =, needy wretch

der **Hungerlohn**, =(e)s, =e, starvation wage

husten, to cough

der **Husten**, =s, cough

hüten, to guard; to watch

J

ihretwegen, on her account

immer, always; noch —, still; constantly; — wieder, again and again

immerfort, always

immerzu, always, continually

die **Inbrunst**, ardor, fervor

indem, while

indes, while

indessen, meantime, meanwhile; however

das **India'nerspiel**, =e(s), =e, playing Indians

inne, in the midst; mitten —, right in the midst

inne-halten*, to stop, pause

innen, within; von —, from the inside

innig, heartfelt, sincere

die **Inschrift**, =en, inscription

instand-setzen, to repair

interessie'ren, to interest

inzwischen, in the meanwhile

irgend, any; — etwas, something; —ein Lied, any kind of a song

irgendein, some one; — Mann, some man or other

irgendwo, somewhere

J (jot)

ja, yes; why; you know, in fact; indeed; as I remember; — auch, (as) you know, to be sure; — nun, well then; —, was ist denn? well, what is the matter? eia, da ist — die Frau Meisterin! well, there is the master's wife! du bist — gar kein Weißgerber, why, you are no tanner at all

die **Jacke**, =n, coat

der **Jagdhund**, =(e)s, =e, hunting-dog

der **Jäger**, =s, =, hunter

das **Jahr**, =(e)s, =e, year; vor —en, years ago; seit —en, for years

jahrelang, for years

die **Jahreszeit**, =en, season; die — ist nicht zu loben, I cannot say much in favor of this season

jährlich, yearly

der **Jammer**, =s, misery, sad affair

jammerschade, pity, misery; und es wäre — um jeden Tag gewesen, it would have been a great pity about every day

jawohl, yes indeed

je, ever; — und —, now and then; — ... desto, the ... the

jedenfalls, in any case, at any rate

jedoch, however

jemals, ever

jetzig, present

jodlerartig, yodle-like

der **Johannisbeerbusch**, -(e)s, -̈e, currant bush

jugendlich, youthful

die **Jugendzeit**, -en, time of youth

die **Jungeburschenzeit**, -en, boyhood days, early youth

die **Jungfer**, -n, young girl, young lady

das **Jüngferlein**, -s, -, little maid

K

kahl, leafless; bare

das **Kalb**, -(e)s, -̈er, calf

kalt, cold; indifferent

der **Kamerad'**, -en, -en, comrade

die **Kammer**, -n, bed-room

der **Kampf**, -(e)s, -̈e, struggle

kämpfen, to fight

das **Kanapee**, -s, -s, sofa, settee

die **Kapelle**, -n, chapel

kaputt', done; ruined; **du gehst —**, you go to ruin; **dann ist irgend etwas in mir — gegangen**, then something went wrong within me

kaputt-machen, to spoil

das **Kartenkunststück**, -(e)s, -e, card-trick

der **Kartenrand**, -(e)s, -̈er, edge of a card

die **Kartoffel**, -n, potato

die **Kasta'nie**, -n, chestnut (tree)

kauen, to chew

kaufen, to buy

kaum, hardly

die **Kavalier'sbewegung**, -en, gesture of a cavalier

keineswegs, not at all, by no means

der **Kellerladen**, -s, - or -̈, cellar-window shutter

die **Kellnerin**, -nen, waitress

kennen, kannte, gekannt, to know, be acquainted; **es kennt Euch ja hier kein Mensch**, why, nobody knows you here

das **Kennen**, -s, being acquainted

kennerhaft, knowing; **mit —er Teilnahme**, with the interest of a connoisseur

die **Kenntnis**, -nisse, knowledge

der **Kerl**, -(e)s, -e, fellow

die **Kerze**, -n, candle

das **Kerzenlicht**, -(e)s, -er, candle-light

die **Kette**, -n, chain

kichern, to giggle

das **Kindbett**, -(e)s, -en, childbed

die **Kinderblume**, -n, flower of one's childhood days

die **Kindereitelkeit**, -en, child-like vanity

der **Kindergedanke(n)**, -ns, -n, childish thought

die **Kindergeschichte**, -n, story of a child, children's story

kinderhaft, childlike

das **Kinderhüten**, -s, watching children

die **Kinderkrankheit**, -en, childhood disease

das **Kinderlachen**, -s, child's laugh

das **Kinderspiel**, -(e)s, -e, children's game

die **Kindertorheit**, -en, child's folly

der **Kindlesbrunnen**, -s, -, baby-well *(from which, according to children's belief, the stork fetches the babies)*

der **Kindskopf**, -(e)s, -̈e, childish person, fool

das **Kinn**, -(e)s, -e, chin

das **Kinnbärtchen**, =s, =, little beard on the chin

die **Kirchenlinde**, =n, linden tree near the church

der **Kirchhof**, =(e)s, ⸗e, cemetery, graveyard

der **Kirchturm**, =(e)s, ⸗e, steeple

das **Kirchweihfest**, =(e)s, =e, church festival

der **Kissenbezug**, =(e)s, ⸗e, pillow-case

die **Kiste**, =n, box, chest

klagen, to complain

die **Klage**, =n, complaint; fault-finding

der **Klang**, =(e)s, ⸗e, sound

die **Klasse**, =n, class; fünfte — (Obertertia), approximately high school sophomore class; *see* Lateinschule

das **Kleid**, =(e)s, ⸗er, garment; (*pl.*), clothes; die —er ablegen, to undress

die **Kleidung**, =en, clothing

klein, small, little; bis ins —ste, in its smallest detail; Kleines, small things; was Kleines, a small coin

die **Kleine**, =n, =n, little girl

die **Kleinigkeit**, =en, small matter, trifle

klettern (f.), to climb, clamber

klimpern, to jingle, tinkle

klingen, a, u, to sound

klopfen, to knock; to beat, strike; to clap

klug, wise, intelligent

knabenhaft, boyish

die **Knabenschaft**, =en, boyhood

die **Knabenwonne**, =n, boyish joys

die **Knabenzeit**, =en, boyhood days

knacken, to crack

knapp, close

knarren, to creak, squeak

der **Knecht**, =(e)s, =e, farm-servant, hired man

kneifen, kniff, gekniffen, to pinch; kniff ihn in den Arm, pinched his arm

das **Knie**, =s, =, knee

der **Knochen**, =s, =, bone

der **Knopf**, =(e)s, ⸗e, button

die **Knospe**, =n, bud

kochen, to cook

die **Kofferkiste**, =n, trunk, chest

die **Kohle**, =n, coal; live coal

der **Kollege**, =n, =n, colleague

komisch, strange

kommen, kam, gekommen (f.), to come; kam er gegangen, he came walking; kam an die Reihe, came in succession, came in turn; aber er kam nicht dazu, but he did not get to it; auf den Namen —, to remember the name; es kommt sogar an die Steinklopfer, even the stone-breakers will have their turn; bloß auf den Namen muß ich noch —, only the name I must recall to mind yet; ich lasse nichts auf sie —, I cannot allow anyone to speak badly of her

das **Kompliment'**, =(e)s, =e, compliment; bow; er macht der Hausfrau ein —, he bows to the mistress of the house

können (kann), konnte, gekonnt, can, to be able; to know; may, to be permitted; auch wenn einer nicht anders hat —, even if a person (one) could not be other-

wise; du kannſt dir ja den Tod
holen, you can easily catch a
fatal cold; Ihr könnt's faſt wie
ein Tanzmeiſter, you (can) dance
almost like a dancing-master

das **Kornfeld,** =(e)s, =er, cornfield

die **Koſt,** food

koſten, to cost; to taste; ſich —
laſſen, to go to expense; darum
laſſen ſie ſich's gern eine Mühe
—, on that account they gladly
go to a good deal of trouble

köſtlich, delightful

der **Krabbenwirt,** =(e)s, =e, inn-
keeper of the Inn at the Sign
of the Crab

die **Kraft,** ⸚e, strength

kräftig, strong; robust; nourishing

der **Kragen,** =s, =, collar; es will
dir niemand an den —, nobody
wants to harm you

der **Kranke,** =n, =n, sick man

das **Krankenhaus,** Krankenhauſes,
Krankenhäuſer, hospital

das **Krankſein,** =s, sickness

kratzen, to scratch; kaum kratzt's
dich, you have hardly a tickling

der **Kreis,** Kreiſes, Kreiſe, circle

das **Kreuz,** =es, =e, cross

kriegen, to get

kritiſieren, to criticise

der **Krug,** =(e)s, ⸚e, mug, jar

krumm, crooked, curved

die **Küche,** =n, kitchen

das **Küchenfenſter,** =s, =, kitchen
window

die **Küchenlampe,** =n, kitchen lamp

die **Küchentür,** =en, kitchen door

der **Küfergeſelle,** =n, =n, journeyman cooper

die **Kugel,** =n, ball; bullet

die **Kuh,** ⸚e, cow

der **Kummer,** =s, grief, trouble

der **Kunde,** =n, =n, fellow

kund=geben*, to show, manifest

kündigen, to give notice (*of leaving
a position*)

die **Kunſt,** ⸚e, art, skill; trick

kunſtfertig, skilled (*in an art*)

die **Kunſtfertigkeit,** =en, skill

kunſtpfeifen, to whistle artistically

kunſtvoll, artistic

kurieren, to cure

kurios', curious

kurzerhand, without a moment's
hesitation

der **Kuß,** Kuſſes, Küſſe, kiss

L

das **Labſal,** =s, =e, refreshment

lächeln, to smile

lachen, to laugh

Lächſtetten, *an apparently fictitious
name for a town in the Black Forest*

die **Lächſtetterin,** =nen, woman from
Lächſtetten

laden (lädt), u, a, to invite

der **Laden,** =s, = *or* ⸚, window-
shutter

das **Lager,** =s, =, place to lie down,
bed; Tiſch und — anbieten, to
offer board and lodging

der **Laib,** =(e)s, =e, loaf

das **Land,** =(e)s, ⸚er, country; auch
wieder im — ? so you are here
again, are you? auf dem —, in
the country

der **Ländler,** =s, =, slow country
dance

ländlich, rural

die **Landsleute** (*pl.* of Lands-
mann), countrymen; da ſind

wir —, then we come from the same district

die **Landſtraße**, =n, highway

der **Landſtreicher**, =s, =, tramp

lang(e), long; for a long time; ein paar Jahre —, for a few years, several years; ſo —, as long as; such a long time; ſchon —, long ago; ſchon — nimmer, he died long ago; ein paar Takte —, for a few measures; bis zehn iſt noch —, it is yet a long time until ten; weit über eine Stunde —, much over an hour; eine halbe Stunde —, for half an hour

langen, to reach

langſam, slow

längſt, long ago, long since; ſchon —, long ago

langſtielig, long-handled

langweilig, tedious; es wurde ihm —, he became bored

laſſen (läßt), ließ, a, to let, allow, permit, leave; to cause; ſie wollte es nicht merken —, she didn't want to show it; laß doch! never mind! ſie läßt ſich Zeit, she takes her time; wir wollen es gut ſein —, we must abstain from having any regrets about it; ach, laß dieſe Sprüche! please, no more of these sayings! ſo laß dir doch die Hand ſchütteln, then let me shake hands with you; ich ließ mir bald eine zweite Flaſche Bier bringen, I soon had a second bottle of beer brought; es läßt ſich ändern, it can be changed; ich ließ es gut ſein, I didn't mention it again, I let it pass; ſich (*dat.*) gefallen —,

to put up with; und ließ ſich die ganze Tannerei zeigen, and made him show him the whole tannery; er ließ ſich von dem Huffchmied für einen Kollegen anſehen, he let the farrier take him for a colleague

läſſig, lazy

die **Laſt**, =en, load; und niemand zur — fällt, and to be a burden to no one

der **Laſtwagen**, =s, =, freight-wagon

das **Latein'**, =s, Latin

der **Latei'ner**, =s, =, pupil of the German Gymnasium; *see* Lateinſchule

latei'niſch, Latin

die **Latein'ſchule**, =n, Latin schoo or Gymnasium; *the German Gymnasium is a nine year school preparing students for the German university and corresponds approximately to the American junior and senior high school including the first two years of college. Instruction in Latin or modern languages begins in the first year of the course*

das **Lattenhaus**, Lattenhauses, Lattenhäuſer, lath-house

der **Lattenverſchlag**, =(e)s, ⸗e, latticed partition

der **Lattenzaun**, =(e)s, ⸗e, paling; wooden fence

lau, soft; die Luft ging —, there was a soft breeze in the air

lauernd, watching, observing keenly

der **Lauf**, =(e)s, ⸗e, course

laufen (äu), ie, au (ſ.), to run; man mußte ihn — laſſen, wie er war, one had to take him as he was

der **Läufer**, =s, =, runner

die **Lauge**, =n, lye

die **Laune**, =n, caprice, whim; nach —, when in the mood

launig, droll

launisch, whimsical

lauschen, to listen

lauter, nothing but

lautlos, silent

die **Lebenskunst**, ⸗e, art of living

die **Leber**, =n, liver

der **Leberspatz**, =en, =en, liver dumpling (*favorite Swabian dish*)

die **Leberwurst**, ⸗e, liver sausage

lebhaft, lively, animated

Lebtag: mein —, all my life

Lebzeiten: bei —, during my life

das **Lederdach**, ⸗(e)s, ⸗er, leather roof (*of wagon or carriage*)

leer, empty, vacant, unoccupied

das **Leere**, =n, void, empty space

leeren, to empty

legen, to lay; sich —, to lie down; legt euch nur zeitig ins Bett! just go to bed early!

sich **lehnen**, to lean; to recline

lehren, to teach

der **Lehrling**, =s, =e, apprentice

das **Lehrmädchen**, =s, =, apprentice girl

der **Lehrmeister**, =s, =, instructor

der **Leib**, =(e)s, =er, body; stomach; im —e haben, to have taken

leicht, easy; light; slight

der **Leichtfuß**, =es, ⸗e, light-minded person

leid: das tut mir —, I am sorry; da tust du mir aber —, then I certainly feel sorry for you; das

tut mir aber —, that I certainly regret; bald wollte es ihr — tun, she almost regretted it; um mich muß es Euch nicht — sein, you must not feel sorry on my account

leiden, litt, gelitten, to suffer

leider, unfortunately

leihen, ie, ie, to lend

leise, low, soft; noiseless; gentle; slight

leiten, to lead, guide

lesen (ie), las, e, to read

letzt-, last

der **Leu**, =en, =en, lion; im Leuen, in the Inn at the Sign of the Lion

die **Leuchte**, =n, lamp

leuchten, to light, shine, beam; vor Freude —, to beam with joy

der **Leuchter**, =s, =, candle-holder

die **Leuchtkugel**, =n, fire-ball

die **Leute** (*pl.*), people

der **Liberale**, =n, =n, liberal

licht, light, bright

das **Licht**, ⸗(e)s, ⸗er, light

das **Lid**, ⸗(e)s, ⸗er, (eye)lid

lieb, dear, good; —er Gott, good heavens; aber es wäre mir —, but I should like that; das ist —, that is most kind; ihr seid mir viel —er, I like you much better, you are much dearer to me; bald fand sie es gerade besonders —, soon she thought it especially nice; und täten mir gern alles Liebe, and would like to bestow all favors upon me

das **Lieb**, =s, sweetheart

der **Liebe**, =n, =n, dear one; mein

—r, dear friend; du bist ein —r,
you are a dear fellow

lieber (compar. of gern), rather;
— haben, to like better

die Liebesnacht, ⸗e, night of love

das Liebespaar, ⸗(e)s, ⸗e, pair of
lovers

liebevoll, lovingly

lieb⸗haben*, to love, caress; da sie
sich von einem Buben hatte —
lassen, when she had let a fellow
caress her; hast du sie denn nicht
lieb? don't you really love them?

das Liebhaben, ⸗s, love

die Liebhaberei, ⸗en, hobby

der Lieblingsbadeplatz, ⸗es, ⸗e, favorite bathing place

die Liebschaft, ⸗en, love affair

liebst (superl. of gern), das tät ich
auch am —en, that I should like
to do above all

liegen, a, e (h. or s.), to lie; im
Bett — bleiben, to stay in bed;
es liegt mir nichts am Gerben,
I don't care anything about
tanning; er bat, er möge ihn
ruhig — lassen, he begged to be
allowed to stay in bed peacefully

liegen⸗bleiben* (s.), to keep (one's
bed)

die Linke, ⸗n, ⸗n, left hand, left;
er ging zu ihrer —n, he walked
on her left (side)

links, to the left

die Lippe, ⸗n, lip

Lis, Elise, Elsa

die Litze, ⸗n, braid

loben, to praise

das Loch, ⸗(e)s, ⸗er, hole

locken, to attract, tempt

locker, loose

lockig, curly

der Löffel, ⸗s, ⸗, spoon

das Logis', ⸗, ⸗, board

der Lohboden, ⸗s, ⸗, tanning
ground

der Lohgarten, ⸗s, ⸗, tanner's garden

der Lohn, ⸗(e)s, ⸗e, wages

sich lohnen, to pay; to be worth
while; es lohnt sich, it is worth
while, it pays

los(e), loose; es war jeden Tag
etwas los, every day something
happened

lösen, to solve

los⸗lassen*, to let go

der Löwe, ⸗n ⸗n, lion; im —n, at
the Inn at the Sign of the Lion

die Luft, ⸗e, air

der Lügenbeutel, ⸗s, ⸗, liar, wind-
bag

die Luke, ⸗n, dormer-window

die Lunge, ⸗n, lung

die Lust, ⸗e, joy, delight, pleasure;
longing; — haben or spüren, to
be in a mood

die Lustbarkeit, ⸗en, amusement,
pleasure

lustig, merry, gay; jolly

das Lustigsein, ⸗s, merriment

M

machen, to make, do; ein Verschen
—, to compose a short verse;
einen Ausflug —, to go on an
excursion; es macht nichts, it
does not matter; sich auf den
Weg —, to set out; er machte
nachdenkliche Augen, he looked
wistful

die **Macht**, ⸗e, power

mächtig, intense; immense

das **Mädele**, ⸗s, ⸗ (*fam. So. Ger. diminutive*), girlie

die **Magd**, ⸗e, maid (servant)

das **Mägdebett**, ⸗(e)s ⸗en, bed for the maid (servant)

mager, thin, lean

mahnen, to remind; to admonish

das **Mal**, ⸗(e)s, ⸗e, time

mancherlei, many kinds of

manchmal, sometimes; often

die **Manier'**, ⸗en, manner

manier'lich, mannerly, polite

das **Männergeschäft**, ⸗(e)s, ⸗e, man's business

das **Mannsbild**, ⸗(e)s, ⸗er, man

der **Marder**, ⸗s, ⸗, marten

die **Mark**, ⸗, mark, *German coin worth about 24 cents*

das **Markstück**, ⸗(e)s, ⸗e, mark *(coin)*

der **Marktplatz**, ⸗es, ⸗e, market-place

marschieren (f.), to march; to leave

matt, exhausted

die **Mauer**, ⸗n, wall

der **Mecha'nikergeselle**, ⸗n, ⸗n, journeyman mechanic

mehr, more; kaum —, hardly any more; nicht —, no longer

mehrere, several

meinen, to believe, think, say; to mean; ich meinte es mit jedermann gut, I was well disposed toward everyone

meinetwegen, for all I care; maybe it is so; it's all right with me

die **Meinung**, ⸗en, opinion

meistens, mostly, generally, es war — nichts damit, it generally did not amount to anything

der **Meister**, ⸗s, ⸗, master (tanner); der Herr —, master, *see under* Herr

die **Meisterin**, ⸗nen, master's wife; die Frau —, master's wife (*see under* Frau); eia, da ist ja die Frau Meisterin! well, there is the master's wife! wegen seiner —, on account of his wife

die **Meistersfrau**, ⸗en, wife of the master

der **Meisterstand**, ⸗(e)s, ⸗e, position as master (tanner)

die **Melodie'**, ⸗n, melody, tune; der — nach, according to the melody

die **Menge**, ⸗n, great number; hatte eine — zu fragen, had a great deal to ask

der **Mensch**, ⸗en, ⸗en, man, human being; (*pl.*) people; kein —, nobody, not a soul

das **Menschenleben**, ⸗s, ⸗, human life, human being

menschlich, human

merken, to notice; to note, mark; er ließ nichts davon —, daß..., he did not show any signs that...

das **Messer**, ⸗s, ⸗, knife; razor

der **Messerschleifer**, ⸗s ⸗, knife-grinder

messingen, brazen, of brass

die **Miene**, ⸗n, countenance

der **Milchkaffee**, ⸗s, coffee with milk

minder, less

mindestens, at least

mischen, to shuffle (cards)

misera'bel, miserable

das **Mißtrauen**, ⸗s, suspicion, distrust

mißtrauisch, suspicious

mit=bringen*, to bring along
mit=geben*, to give
mit=kommen* (ſ.), to come along; komm du nur mit, just come along
mit=kriegen, to get or take along
mit=lächeln, to smile at the same time
mit=lachen, to join in laughing
das Mitleid, =(e)s, sympathy
mitleidig, compassionate, sympathetic
mit=machen, to take part in
mit=nehmen*, to take along
mit=reden, to join in the conversation; ich kann beſſer —, I am better qualified to talk about it
das Mittageſſen, =s, =, (early) dinner
das Mittagslicht, =(e)s, =er, midday light or sun
die Mittagszeit, =en, dinner-time; um die —, toward noon
mit=teilen, to inform
das Mittel, =s, =, means
mitten, midway; — in der Nacht, in the middle of the night; — inne, right in the midst
mit=tun*, to participate
mitunter, sometimes
der Mitwiſſer, =s, =, confidant
möchte see mögen
mögen (mag, pr. subj. möge), mochte (past subj. möchte), gemocht, to like; to be permitted; may, might; er bat, er möge ihn ruhig liegen laſſen, he begged to be allowed to stay in bed peacefully; Knulp mochte nicht, Knulp did not want to; er mochte wollen oder nicht, whether he liked it

or not; der möchte ich ſein, I should like to be the one; weil ſie gern zueinander möchten, because they would like to come together
möglich, possible
mooſig, mossy
der Mordsknaller, =s, =, terrible crack
die Morgenkühle, coolness of the morning
die Morgenmilch, morning milk
der Moſt, =es, =e, new wine; cider
die Moſtflaſche, =n, bottle of cider
der Moſtkrug, =(e)s, =e, cider mug
müde, tired; einer Sache (gen.) — ſein, to be tired of a thing
die Müdigkeit, tiredness
die Mühe, =n, trouble, pains; ſich (dat.) — geben, to take pains; darum laſſen ſie ſich's gern eine — koſten, on that account they gladly go to a good deal of trouble
mühelos, easy
mühevoll, laborious
die Mühle, =n, mill
das Mühlenrad, =(e)s, =er, wheel of a watermill; In einem kühlen Grunde, da geht ein Mühlenrad (In a cool valley there goes round a mill wheel) is the beginning of a very popular German song by the poet Joseph von Eichendorff (1788—1857)
der Mühlkanal', =s, =e, mill-canal
mühsam, toilsome
der Mund, =es, =e or =er, mouth
die Mundart, =en, dialect
die Mundharfe, =n, mouth organ
munter, awake, lively, cheerful

die **Munterkeit,** liveliness, cheer-
fulness

der **Muschelkalk,** =(e)s, =e, shell lime-
stone

die **Musik′,** music

der **Musikant′,** =en, =en, musician

das **Musik′machen,** =s, music ma-
king, playing

müssen (muß, *pr. subj.* müsse),
mußte (*past subj.* müßte), ge=
mußt, to have to, be compelled

der **Musterbub(e),** =en, =en, model
boy

mustern, to muster, examine

die **Musterung,** =en, inspection

der **Mut,** =(e)s, courage

N

na (*interj.*), well; — also? well then?

nach, to, for, after; toward; —
unten, downward; der Straße
—, along this road

das **Nachbarhaus,** Nachbarhauses,
Nachbarhäuser, house next door

nachbarlich, neighborly

die **Nachbarschaft,** =en, neighborhood

der **Nachbarsgarten,** =s, =̈, neighbor's garden

nach=blicken (*w. dat.*), to look after

nach=denken*, to think, reflect;
(*w. dat.*), to think about

nachdenklich, thoughtful, pensive;
er machte —e Augen, he looked
wistful

nach=gehen* (ſ.; *w. dat.*), to follow

nachher, afterward

nach=lassen*, to give up, yield

nachlässig, careless

die **Nachlässigkeit,** =en, negligence,
carelessness

nach=laufen* (ſ.; *w. dat.*), to run
after; kam ihm hastig nachge=
laufen, came running hastily
after him

nach=schauen (*w. dat.*), to look after;
im Nachschauen, while following
him with my eyes

nach=sehen* (*w. dat.*), to look after;
er sah ihr nach, he followed her
with his eyes

die **Nachsicht,** indulgence

nächstens, very soon

die **Nacht,** =̈e, night; bis in alle —
hinein, until late at night

das **Nachtessen,** =s, =, supper

das **Nachthemd,** =(e)s, =en, night-
shirt

die **Nachtherberge,** =n, inn, night's
lodging

das **Nachtlager,** =s, =, night's lodging

nächtlich, nightly

nachts, by night, at night

der **Nachttisch,** =es, =e, bedside
table

nach=tun*, to imitate; wie es ihm
nicht viele — konnten, as not
many could imitate him

das **Nachtwerden,** =s, nightfall

die **Nadel,** =n, needle

das **Nägelein,** =s, =, clove

nagelneu, brand-new

nah(e), near, close by

die **Nähe,** =n, proximity

das **Nähen,** =s, sewing

näher=kommen* (ſ.; *w. dat.*), to ap-
proach

der **Name(n),** =ns, =n, name; bloß
auf den —n muß ich noch kom=
men, *see* kommen

nämlich, namely, you know

der **Narr**, -en, -en, fool; und haben ihn für —en gehabt, and have made a fool of him

die **Nase**, -n, nose

der **Natur′forscher**, -s, -, naturalist

der **Nebel**, -s, -, fog

nebelig, foggy

nebelkalt, misty and cold, damp

neben, beside

nebenaus=sehen*, to look past (a person)

nebendran, in the next room

nebeneinander, beside one another, side by side

nebensächlich, of secondary importance

der **Neckar**, -s, Neckar, *a river of Germany, rising in the mountains of the Black Forest, joins the Rhine near Mannheim. Heidelberg, Heilbronn and Ludwigsburg are on its banks.* Bald graf′ ich am Neckar, Bald graf′ ich am Rhein, Bald hab′ ich ein Schätzel, Bald bin ich allein, *the first lines of a very popular German folk song*

necken, to tease

nehmen (nimmt), nahm, genommen, to take; wieder an sich —, to put back in his pocket; zur Hand —, to take in hand; in Gebrauch —, to make use of; Abschied —, to bid farewell; ins Verhör —, to interrogate, cross-examine

der **Neid**, -(e)s, envy

die **Neigung**, -en, inclination

nein, no; indeed; —, ist das eine Ordnung! I certainly call that good order!

nennen, nannte, genannt, to call

nett, nice

die **Nettigkeit**, -en, kindness

netzen, to wet, moisten

neu, new; —es, news; von neuem, anew; wenn ich hinter etwas Neuem her war, *see* hinter

die **Neue**, -n, -n, new one (*girl*)

neuestens, lately

neugemalt, newly painted

die **Neugierde**, curiosity

neugierig, curious; ich bin ziemlich früh auf sie — geworden, I became curious about them pretty early

nichts, nothing; not anything; — als, nothing but; es ist — damit, it does not amount to anything; it is far from the truth

das **Nichtstun**, -s, idleness

nicken, to nod

nie, never; — mehr, never again

nieder, low

sich **nieder=setzen**, to sit down

niemals, never, at no time; — mehr, never again

nimmer, never; not; no more; weißt du′s —? don't you know about it any more?

nirgends, nowhere

nix = nichts, nothing

nobel, beautiful, grand; noble; bei dir muß alles — sein, everything you have must look grand

noch, yet, still; — einmal, once more; — immer, still; das ist er auch —, it still has the same reputation

nochmals, once more, again

die **Not**, ⸗e, need, difficulty

der **Notfall**, -(e)s, ⸗e, case of neces-

sity; im —, in case of need, if
necessary

nötig, necessary; **bitter — haben,**
to be absolutely necessary

der Notsteg, =(e)s, =e, emergency
bridge

das Notwendige, =n, necessary
thing

nun, now; **— ja,** well, yes

der Nußbaum, =(e)s, =e, nut-tree

die Nüster, =n, nostril

nützen, to be of use

nutzlos, useless.

O

ob, whether, if

oben, above, up; upstairs; **da —,**
up there

obenhin, casually

ober, upper, above

der Oberamtsarzt, =(e)s, =e, chief
physician (of the county)

das Oberleder, =s, =, top leather

Oberstetten, *an apparently fictitious
name for a town in the Black
Forest*

der Oberstock, =(e)s, =e, upper story

das Obst, =es, fruit

der Obstbaum, =(e)s, =e, fruit-tree

obwohl, although

der Ochse, =n, =n, ox; **im** *or* **zum
—n,** at the Inn at the Sign of the
Ox

die Ochsenkellnerin, =nen, the waitress at the Inn at the Sign of the
Ox

öde, desolate

der Odenwald, =es, Oden Forest;
*a mountain region in Southern Ger-
many, east of the Rhine and between
the Neckar and the Main Rivers,*

*the Neckar separating it from the
Black Forest. The culminating point
(in Baden) is the Katzenbuckel*
(Cat's Back), 2053 feet high

die Offenbarung, =en, revelation;
Revelation of St. John

die Öffnung, =en, opening

oha, ah, *exclamation indicating sur-
prise*

ohne, without; **— die ihren zu
schließen,** without closing hers;
— etwas zu sehen, without seeing anything

ohnedas, moreover, besides

die Ohrfeige, =n, box on the
ear

die Öllampe, =n, oil lamp

opfern, to sacrifice; **sich selber —,**
to sacrifice oneself

ordentlich, proper; orderly; regular; **und — Zwiebeln dran, gelt?**
and plenty of onions with it,
don't you think?

ordnen, to arrange

die Ordnung, =en, order; **in —
bringen,** to arrange

der Ort, =(e)s, =e, place; **wo ist denn
Euer —?** where are you at home,
I wonder?

P

paar, few; **ein —,** a few, several;
ein — Takte lang, for a few
measures

das Paar, =(e)s, =e, couple

packen, to seize, lay hold of

der Papst, =(e)s, =e, pope

passen, to fit; to suit; **eines paßt
nicht für alle,** the same thing is
not suitable for everyone

die Pause, =n, pause

das **Peinliche**, ⸗n, annoying (thing); alles —, everything painful *or* unpleasant

die **Peitsche**, ⸗n, whip

der **Pennbruder**, ⸗s ⸗, homeless tramp

die **Petro'leumlampe**, ⸗n, petroleum lamp

das **Pfand**, ⸗(e)s, ⸗er, pawn

der **Pfarrer**, ⸗s, ⸗, clergyman

pfeifen, pfiff, gepfiffen, to whistle, blow; eins —, to whistle a tune; ich pfeife drauf, I don't care a snap about it

das **Pferdchen**, ⸗s, ⸗, little horse

der **Pfiff**, ⸗(e)s, ⸗e, whistle; trifle; ein — Bier, a small glass of beer

pflanzen, to plant

die **Pflege**, care, nursing; in — gehören, to belong in a sanatorium; in eine — kommen, to come under the care (of a sanatorium *or* hospital)

pflegen, to take care; to nurse; to indulge in; gehört er ordentlich gepflegt, he should be cared for properly

das **Philosophie'ren**, ⸗s, philosophizing

die **Photographie'**, ⸗n, photograph

plagend, tormenting

der **Plata'nenbaum**, ⸗(e)s, ⸗e, planetree

plätschern, to splash

der **Platz**, ⸗es, ⸗e, place, room; — nehmen, to take a seat

plaudern, to chatter, chat

plötzlich, sudden

pole'misch, polemic, in a polemic manner

der **Polizei'diener**, ⸗s, ⸗, policeman

die **Pol'ka**, ⸗s, polka

das **Postgäßlein**, ⸗s, ⸗, narrow street, called Post Street

die **Pracht**, ⸗en *or* ⸗e, splendor

prächtig, splendid

die **Präparation'**, ⸗en, exercise

der **Präzep'tor**, ⸗s, Präzepto'ren, teacher

preisen, pries, ie, to praise

der **Prellstein**, ⸗(e)s, ⸗e, curb-stone

pressieren, to be urgent; pressiert's denn so, is it really so urgent? es pressiert nicht so, there is no hurry

probieren, to try

pro'sit! your health!

prüfend, searching, examining

Q

das **Quartier'**, ⸗(e)s, ⸗e, lodging

quer, across; — über, diagonally across

die **Querwand**, ⸗e, partition wall

R

das **Rad**, ⸗(e)s, ⸗er, wheel

der **Radau'**, ⸗s, noise

rahmen, to frame

der **Rand**, ⸗(e)s, ⸗er, edge, brim

rasch, quick, swift

das **Rasenstück**, ⸗(e)s, ⸗e, piece of lawn

rasie'ren, to shave

das **Rasier'messer**, ⸗s, ⸗, razor

das **Rasier'zeug**, ⸗(e)s, ⸗e, shaving things

rassig, spirited

die **Rast**, ⸗en, rest, repose; — halten, to take a rest

raſten, to rest

der Raſtort, =(e)s, =e, resting place

der Rat, =(e)s, ⸗e, advice; — wiſſen, to know what do to

raten (ä), ie, a, to guess

ratlos, perplexed, helpless; machte ein—es Geſicht, looked perplexed

das Rätſel, =s, =, riddle

rauchen, to smoke

der Rauchtabak, =(e)s, =e, (smoking) tobacco

rauf⸗gehen = herauf⸗gehen* (ſ.), to ascend, go up hill; früher iſt's leichter den Berg raufge⸗ gangen, formerly you climbed uphill more easily

rauſchen, to roar

ſich räuſpern, to clear one's throat

rechnen, to count, calculate, reckon; womit er gerechnet hatte, upon which he had calculated

recht, right, real; quite, very; thoroughly; ich komme ja gerade —, I see, I am just in time; ſo iſt's —, that's fine, that will do; ſchon —, quite right; das iſt — von dir, that is mighty nice of you; da haſt du —, there you are right; das iſt erſt — nicht ſicher, that is still less certain; mir iſt es auch —, that suits me all right; wenn es Euch — iſt, if it is agreeable to you; daß ſie doch damit nichts Rechtes anfingen, that they after all did not accomplish anything worth while with them

das Recht, =(e)s, =e, right; er wollte ihn doch nicht — haben laſſen, he didn't want to admit that he was right

rechts, to the right

die Rede, =n, speech, talk; eine — halten, to give a talk; auch viele —n halten hören, also heard many speeches delivered

das Redemittel, =s, =, power of expression

redlich, honest

der Redner, =s, =, speaker

der Regenfall, =(e)s, ⸗e, rainfall

die Regenpfütze, =n, rain-puddle

der Regenſchirm, =(e)s, =e, um-brella

der Regentropfen, =s, =, raindrop

regungslos, motionless

das Reh, =(e)s, =e, roe

reiben, ie, ie, to rub

reichen, to reach; nirgends will's —, it is never enough

reichlich, ample; abundant

reif, ripe

der Reif, =(e)s, =e, hoarfrost

die Reihe, =n, row, line; jetzt bin ich an der —, now it is my turn; kam an die —, followed in turn

der Reim, =(e)s, =e, rhyme

rein, pure, true (of tones)

reinlich, neat, clean

die Reiſe, =n, trip, journey

reiſen (ſ.), to travel

die Reſe'da, =s, mignonette; also die Reſe'de, =n

der Reſpekt', =(e)s, =e, respect

der Reſt, =es, =e, rest, remainder; limit

die Reſtauration', =en, restaurant

der Rhein, =(e)s, Rhine, the most important river in Germany

richten, to arrange

richtig, right, real; correct; eine —e, a real one; wenn ich es einmal für das —e halte, when I once consider it the right thing

riechen, o, o, to smell; wo es nach Kaffee roch, where it smelled of coffee

ringsum, all around

riskieren, to risk

die Ritze, =n, cranny, rift

der Rock, =(e)s, =e, coat

die Rocktasche, =n, coat-pocket

das Roggenbrot, =(e)s, =e, rye-bread

roh, rough

rollen, to roll

das Roß, Rosses, Rosse, horse

der Rotwein, =(e)s, =e, redwine; bei einem Glas —, drinking a glass of red-wine

rücken, to push

der Rücken, =s, =, back

rufen, ie, u, to call

die Ruhe, =n, peace; laß mich in Ruh', don't bother me

ruhen, to rest; to lie

ruhig, quiet, calm

rühmen, to praise; sich — (w. gen.), to boast of

die Rührung, =en, emotion

die Rundung, =en, rounding, curve

rußig, sooty

Ruth, Ruth; *referring to the character of Ruth in the Book of Ruth*

S

der Saal, =(e)s, Säle, (dance-) hall

die Sache, =n, thing; affair; concern

sachkundig, expert

sachlich, objective

sachte, soft, light; gently, gradually; cautiously

sachverständig, competent, apt

der Sack, =(e)s, =e, bag; pocket

sagen, to say; Dank —, to thank; aber — Sie's jetzt nur, but now tell me; wie muß ich dann zu Euch —? but how must I address you? sag' mir nichts über die Franziska, don't say anything against Franziska; was Ihr nicht sagt! you don't say! warum sagt Ihr auch nichts? why don't you say so?

die Sägerei, =en, saw-mill

der Same(n), =ns, =, seed

sammeln, to gather; Ähren —, to glean

der Samstag, =(e)s, =e, Saturday

der Samstagabend, =s, =e, Saturday evening

samt (*w. dat.*), with, together with

der Sarg, =(e)s, =e, coffin

satt, satisfied; er war dieser Gespräche —, he was weary of these conversations

der Sattel, =s, =, ridge

sich satt=essen*, to eat one's fill

sättigend, satisfying

der Satz, =es, =e, passage; proposition; sentence

sauber, clean, nice, fine, neat; particular; was Sauberes, something pretty

säuberlich, neat, clean

saugen, o, o, to suck, sip

das Sauwetter, =s, =, horrible weather

der Schabernack, =(e)s, =e, trick, practical joke

schade! what a pity! too bad! um den es — war, who was to be pitied

schaffen, u, a, to create; to work; es hat mir jahrelang zu — ge-

macht, it has given me trouble
for years; sich vorwärts —,
(*weak*), to get on

die Schale, =n, bowl

schälen, to pare, peel

schalhaft, roguish

die Scham, shame

sich schämen (*w. gen.*), to be ashamed

scharf, sharp; bright; den —en
Kopf, the sharp profile of his
head

der Schattenhut, =(e)s, =e, sun-hat

das Schattenspiel, =(e)s, =e, shadow-
play, phantasmagoria

der Schatz, =(e)s, =e, sweetheart;
store

schauen, to see, look

der Schein, =(e)s, =e, shine

scheinen, ie, ie, to shine; to seem,
appear; was ihr am Haar zu
bessern schien, in whatever way
she thought she could improve
the make-up of her hair; mir
scheint, it seems to me; will mir
—, as it seems to me; daß es
mir so scheint, that it seems to
me like this

die Schelmerei, =en, roguery

schenken, to give, present

der Scherz, =es, =e, joke; Knulp
war nicht mehr zu —en gelaunt,
Knulp was no longer disposed
for jokes

das Scherzwort, =(e)s, =e *or* =er,
joke

scheu, shy

die Scheuer, =n, shed, barn

scheußlich, horrible, frightful, hide-
ous

schicken, to send

das Schild, =(e)s, =er, shield; sign

der Schimmer, =s, =, shimmer

schimmern, to twinkle, glimmer

schimpfen, to scold, curse

der Schinken, =s, =, ham

der Schirm, =(e)s, =e, umbrella

der Schlaf, =(e)s, sleep; im — liegen,
lying asleep; da er müde war
und — hatte, since he was tired
and felt sleepy

schlafen (ä), ie, a, to sleep; —
gehen, to go to bed; als habe
er tief geschlafen, as if he had
been fast asleep

das Schlafengehen, =s, going to bed

der Schläfer, =s, =, sleeper

die Schlafgelegenheit, =en, opportunity for a night's lodging

die Schlafstätte, =n, sleeping place

schlagen (ä), u, a, to strike

schlank, slim, slender

schleichen, i, i (s.), to sneak; to slip

schlendern (s.), to stroll

schleppend, dragging (his feet)

schließen, o, geschlossen, to close,
shut; to conclude; ohne die ihren
zu —, without closing hers (*her
eyes*); eine Freundschaft —, to
form a friendship

schließlich, finally; after all

schlimm, bad, evil; etwas Schlimmes, something bad

der Schluck, =(e)s, =e *or* =e, swallow,
mouthful

der Schlummer, =s, slumber, nap

schlummern, to doze, nap

schlüpfen (s.), to slip

schlürfen, to relish, drink in

der Schlüssel, =s, =, key

schmächtig, slender, slim

ſchmal, narrow, thin

ſchmecken, to taste; laß dir's — ! enjoy it!

das Schmerzliche, =n, sad or painful part

der Schmetterling, =s, =e, butterfly

der Schmied, =(e)s, =e, smith

die Schmiede, =n, forge; smithy

ſchnaufen, to breathe, pant

der Schnee, =s, snow

der Schneefall, =(e)s, ⸗e, snowfall

das Schneegewehe, =s, snow-drift

das Schneetreiben, =s, =, blizzard

der Schneider, =s, =, tailor

die Schneiſe, =n, glade

ſchnell, quick

ſchnitzen, to carve, cut

ſchnupfen, to snuff, take a snuff; ihn — ließ, had him take a snuff

ſchnuppern, to snuff, sniff about

ſchon, already; certainly, indeed; no doubt, to be sure; all right; ja —, yes indeed; yes, no doubt; — lang, long ago already; das ſieht man —, one can see that all right; der Herr Doktor wird mich — kennen, you know me all right, Doctor; die (Suppe) wird mir den Tod — vertreiben, that will drive death away from me all right; frei hätte ich —, I would be free all right

ſchön, handsome; beautiful; nice; recht viel Schönes, many beautiful things; das wäre nicht —, that wouldn't be nice; Sie haben was Schönes verdient, you have earned nice money

ſchonen, to save, spare; to treat with consideration

der Schoß, =es, ⸗e, lap

die Schranke, =n, rail, fence

ſchreiben, ie, ie, to write

ſchreien, ie, ie, to cry

ſchreiten, ſchritt, geſchritten (ſ.), to walk, step

der Schritt, =(e)s, =e, step; im langſamen —, at a slow pace

die Schublade, =n, drawer

ſchüchtern, timid, bashful

die Schüchternheit, shyness, timidity

ſchuften, to slave, work hard

die Schuhneſtel, =n, shoe lace

das Schuhwerk, =(e)s, =e, boots and shoes

ſchuld; die Mädchen waren — daran, the girls were to blame for it; wahrſcheinlich war doch mein Trinken daran ſchuld, probably it was after all the fault of my drinking

die Schuld, (=en), fault; guilt

das Schulgeld, =(e)s, =er, school fees, tuition

das Schulheft, =(e)s, =e, note book

die Schulter, =n, shoulder

der Schulze, =n, =n, village mayor

die Schulzeit, =en, school days

der Schulzenknecht, =(e)s, =e, farmservant of the village mayor

der Schuppen, =s, =, shed

die Schürze, =n, apron

ſchütteln, to shake; ſo laß dir doch die Hand —, then let me shake your hand

ſchwach, weak, low; faint

der Schwan, =(e)s, ⸗e, swan; in den —, to the Inn at the Sign of the Swan

ſchwanken, to totter, falter

ſchwänzen, to shirk; to cut (classes)

das Schwarzbrot, =(e)s, =e, brown
bread
die Schwarze, =n, girl with dark
hair
die Schwärze, darkness, blackness
der Schwarzwald, =(e)s, Black
Forest
schwatzen, to chatter
schweben, to hover, float
schweigen, ie, ie, to be silent
die Schweinsblase, =n, hog's blad-
der
schwemmen, to wash, soak
schwer, hard, difficult; heavy
schwimmen, a, o (f.), to swim
schwingen, a, u, to wave
schwül, sultry, close
die Schwüle, sultriness
die Seele, =n, soul; mind
sehen (ie), a, e, to see, look; das
siehst du immer noch, that you
can still see any time; wir wer=
den ja sehen, we shall see then;
auf die Finger —, see Finger
sehr, very, much
sein (ist), war, gewesen (f.), to be;
weil Ihr's seid, because it is you;
es sind fünf, there are five of
them; bist du's? is it you? ich
bin's, it is I
das Seinige, =n, his (part)
seit, since, for
seither, from that time, since then
selber, self; himself; von —, automatically
die Seligkeit, =en, happiness, bliss
selten, seldom; rare, unusual
seltsam, strange
senken, to let down, lower
servieren, to wait (at a table); to
serve (a dinner)

Servus (Lat., a salutation common
especially among students), good-
day, hello
seßhaft, settled, steady
der (die) Seßhafte, =n, =n, settled
and steady person
setzen, to set, put; sich —, to sit
down; instand —, to repair; in
Erstaunen —, to astonish, amaze
seufzen, to sigh
der Seufzer, =s, =, sigh
sicher, certain, sure; safe; well;
skillful; da haben Sie's — gut
gehabt, there, no doubt, you
had a fine position; das ist erst
recht nicht —, that is still less
certain
die Sicherheit, =en, confidence;
mit —, confidently
das Sicherinnern, =s, remem-
bering
sichtbar, visible; — werden, to
appear
sichtlich, obvious
silbern, (of) silver
der Simsen, =s, =, molding
singen, a, u, to sing; ich sang noch
den ganzen Weg vor mich hin,
I sang all the way to myself
der Sinn, =(e)s, =e, sense (of per-
ception), mind; meaning
das Sinnbild, =(e)s, =er, symbol
das Sinnen, =s, thinking, contem-
plating
Sirach; das Buch —, the book of
Sirach. Ecclesiasticus is the name
of the apocyphal book otherwise
called the Wisdom of Jesus the Son
of Sirach
der Sitz, =es, =e, seat; lodging
sitzen, saß, gesessen (h. or f.), to

sit; es ſitzt, there sits; trocken —, to be neglected

ſo, thus, so, then; as; now, well; really? — wie, according to the way; — einer, such a one; — wär' ich gern wieder einer, such a one I should like to be again

die Socke, =n, sock; auf —n, in his socks

ſofort, at once, immediately

ſogar, even

ſogleich, immediately, at once

die Sohle, =n, sole (of a foot)

ſolang(e), as long as

der Solda'tenmarſch, =es, ⸗e, military march

Solingen, a town of Rhenish Prussia, about 15 miles south of Düsseldorf. It is a great seat of the manufacture of cutlery, including weapons. Its sword-blades were already celebrated in the Middle Ages: das Solinger Meſſer, (razor) blade manufactured in Solingen

ſollen (ſoll), ſollte (subj. ſollte), geſollt, to be said (to), be to; shall, ought, es ſoll zwar ein ſchönes Handwerk ſein, it is no doubt a nice trade; was ſoll man von uns denken, what will people think about us; du hätteſt — Profeſſor werden, you ought to have become a professor; Ihr ſollt mich ja auch nicht heiraten, why, you are not expected to marry me; ja, was ſoll man darüber ſagen, well, what can a person say about it

die Sommerszeit, =en, summertime; in der glühenden —, in the glowing heat of summer

ſonderbar, strange; peculiar

der Sonderling, =s, =e, original, odd person

ſondern, but

die Sonne, =n, sun; ich will der — nachgehen, I want to follow the sunshine

der Sonnenſchein, =(e)s, sunshine

der Sonnenſpiegel, =s, =, reflection of the sun

ſonnig, sunny

das Sonntagseſſen, =s, =, Sunday meal

der Sonntagshut, =(e)s, ⸗e, Sunday hat

ſonſt, else, otherwise; — etwas, something else

die Sorge, =n, trouble, worry, care; Sie müſſen auch — zu ſich haben, you must also take care of yourself

ſorgen, to look after

die Sorgfalt, care, carefulness

ſorgfältig, careful

ſorglich, careful

ſorglos, carefree

ſoviel, as much as

ſowieſo, anyhow

der Sozial'demokrat, =en =en, socialist

ſpähen, to peer

die Spannung, =en, tension, suspense

der Spaß, =es, ⸗e, fun; ſie haben ihren — daran gehabt, they had their fun out of it; da wird der Herr nichts als Späße machen, then the Lord will do nothing but make jokes

ſpät, late

ſpäteſtens, at the latest

der **Spatz**, -en, -en, sparrow; liver dumplings, *a favorite Swabian dish;* —en ſind mir lieber, I prefer liver dumplings

ſpazieren-gehen* (ſ.), to go walking

der **Spaziergang**, -(e)s, ⸗e, walk

die **Speiſe**, -n, food

der **Spekta'kel**, -s, noise

das **Spekulieren**, -s, speculating

ſpendieren, to give *or* spend lavishly; einem etwas —, to treat a person to something

der **Spiegel**, -s, -, mirror

das **Spiel**, -(e)s, -e, play

ſpielen, to play

ſpieleriſch, playful

das **Spintiſieren**, -s, philosophizing

das **Spital'**, -s, ⸗er, hospital

ſpitzig, pointed

der **Spitzname(n)**, -ns, -n, nickname

der **Spott**, -(e)s, mockery, ridicule

ſpotten, to mock

ſpöttiſch, mocking

die **Sprache**, -n, (technical) language

ſprechen (i), a, o, to speak, talk

ſpringen, a, u (ſ.), to jump, leap, spring

der **Springinsfeld**, -(e)s, -e, whipper-snapper (*of a boy*)

der **Spruch**, -(e)s, ⸗e, saying, passage, text; ach, laß dieſe Sprüche, please, no more of these sayings

ſpucken, to spit

ſpuken, to appear (as a ghost); es ſpukt bei dir, there is something wrong with you

ſpülen, to wash, rinse

ſpüren, to perceive, scent, feel; Luſt — zu, to be in the mood for

die **Stabe'lle**, -n, stand, little table

der **Stachel**, -s, -n, sting, thorn

die **Stachelbeere**, -n, gooseberry

ſtadteinwärts, into the city

die **Stadtrechnersfrau**, -en, town recorder's wife

der **Stamm**, -(e)s, ⸗e, stem, trunk

ſtark, heavy, strong

ſtarren, to stare

ſtatt (*w. gen.*) instead of; — deſſen, in place of that

ſtattlich, stately; big

der **Staub**, -(e)s, ⸗e, dust; bei einem —, in a cloud of dust

ſtaubig, covered with dust, dusty

ſtechen (i), a, o, to sting; er ſtach allen Mädchen in die Augen, he caught the eyes *or* took the fancy of all the girls

ſtecken, to put, place; zu ſich —, to put in one's pocket

der **Steg**, -(e)s, -e, foot-bridge

ſtehen, ſtand, geſtanden (h. *or* ſ.), to stand; in der Bibel —, to be (written) in the Bible; wie ſteht's damit? how about it? ihr Geſicht ſtand dicht vor dem ſeinen, her face was close to his; es ſteht leider ſo mit mir, unfortunately my financial situation is such

ſtehen-bleiben* (ſ.), to stand (still), stop

das **Stehenbleiben**, -s, stopping

ſtehlen (ie), a, o, to steal

ſteigen, ie, ie (ſ.), to climb, ascend; ins Bett —, to get into bed; herauf—, to come up

ſteil, steep

der Stein, =(e)s, =e, stone
die Steinbrücke, =n, stone bridge
steinguten, earthenware
der Steinhaufen, =s, =, heap of
　　stones
der Steinklopfer, =s, =, stone-
　　breaker
die Stelle, =n, spot, place
stellen, to put, place, set (snares);
　　Fragen —, to ask questions
stellenweise, in places, in parts
der Stempel, =s, =, seal
sterben (i), a, o (f.), to die; gestor=
　　ben muß einmal sein, one has
　　to die sooner or later
der Stern, =(e)s, =e, star
die Sternblume, =n, Chinese aster,
　　*well known star-shaped garden
　　flower*
der Stich, =(e)s, =e, stitch; im —
　　lassen, to leave in the lurch,
　　desert
die Stickerei, =en, embroidery fac-
　　tory
stickig, stifling
der Stiefel, =s, =, boot
das Stiefelputzen, =s, shoe-shining
die Stiefelsohle, =n, boot-soles
die Stiege, =n, stairs
still, calm, quiet; ich setzte mich zu
　　einem —en Wein, I sat down to
　　drink a glass of wine in quiet
die Stille, =n, stillness, quiet
die Stimme, =n, voice; part; mit
　　gedämpfter —, in an undertone
stimmen, to agree; to hold good;
　　stimmt's oder stimmt's nicht, is
　　it so or is it not? stimmt! that
　　is right! das stimmt, that is cer-
　　tain; stimmt aber nicht, but that
　　isn't (always) the case

die Stirn, =en, forehead
das Stockwerk, =(e)s, =e, story, floor;
　　im dritten —, on the fourth floor.
　　*(Our first story or floor is in Ger-
　　many* das Parterre *or* Erdge-
　　schoss, *our second is called* erstes
　　Stockwerk, *our third* zweites
　　Stockwerk, *etc.)*
stolz, proud
stopfen, to darn; to patch; to stuff
der Storch, =(e)s, =e, stork
stören, to disturb; ach was —!
　　don't speak about disturbing!
der Stoß, =es, =e, blow; stroke
strahlen, to radiate, beam
stramm, robust
die Straße, =n, street
die Straßenbiegung, =en, curve of
　　the street
die Straßenecke, =n, street-corner
der Strauch, =(e)s, =er *or* =e, shrub
das Streben, =s, striving, effort
strecken, to stretch
der Streich, =(e)s, =e, trick, prank
streichen, i, i, to stroke; to spread;
　　sich (*dat.*) den Bart —, to stroke
　　one's beard
streicheln, to caress
die Streife, =n, wandering; expe-
　　dition
streiten, stritt, gestritten, to quarrel,
　　argue
streng, severe; hard
strengkühl, severe and cool
streunen (h. *or* f.), to loiter
strömen (h. *or* f.), to stream, flow
die Strömung, =en, current
struppig, shaggy
die Stube, =n, room, sitting-room
der Stubenhocker, =s, =, stay-at-
　　home, stick-indoors

das **Stück**, =(e)s, =e, piece, part;
    stand ein — Himmel, a part
    of the sky was visible

die **Stunde**, =n, hour; period;
    ganze —n, for hours; eine halbe
    — lang, for half an hour; eine
    gute —, a full hour; zu guter —,
    early in the day; —n schwänzen,
    to shirk lessons *or* cut (classes)

stützen, to support

suchen, to seek, look for

der **Südwesten**, =s, south west

die **Sünde**, =n, sin

sündschad, great pity; es ist doch
    — um dich, it is after all a great
    pity about you

der **Suppenteller**, =s, =, soup-plate

die **Szene**, =n, scene

T

der **Tabakrauch**, =(e)s, tobacco
    smoke

tadellos, perfect, faultless

die **Tadellosigkeit**, perfection

tadeln, to reproach, rebuke; to
    criticise

tagelang, for days; nach —em
    Alleinsein, after he had been
    alone for days

tagen, to dawn; aber jetzt tagt
    mir's, but now it dawns upon me

das **Tageslicht**, =(e)s, =er, daylight

täglich, daily

tagsüber, during the day

der **Takt**, =(e)s, =e, time, measure;
    ein paar —e lang, for a few
    measures

das **Tal**, =(e)s, =er, valley

das **Talent'**, =(e)s, =e, talent

der **Taler**, =s, =, *German coin equals
    3 Marks, or about 72 cents*

die **Talmühle**, =n, mill in the
    valley

talwärts, downhill

der **Tannenzweig**, =(e)s, =e, fir *or*
    pine twig

der **Tanz**, =(e)s, =e, dance; auf
    einen —, for one dance

der **Tanzbodenkönig**, =(e)s, =e, king
    of the dance-floor

tanzen, to dance

die **Tanzgelegenheit**, =en, oppor-
    tunity to dance

tapfer, brave

die **Tasche**, =n, pocket

tastend, fumbling

die **Tat**, =en, deed

täten (*past subj.*) *see* tun

taugen, to be good for; von da an
    habe ich eben nichts mehr getaugt,
    from then on I haven't been
    good for anything

taumeln (h. *or* s.), to feel intoxi-
    cated

das (der) **Teil**, =(e)s, =e, part

die **Teilnahme**, interest; mit kenner-
    hafter —, with the interest of a
    connoisseur

teil=nehmen*, to take part (in)

der **Teller**, =s, =, plate

der **Teufel**, =s, =, devil

tief, deep; als habe er — geschlafen,
    as if he had been fast asleep

die **Tiefe**, =n, depth; valley

das **Tier**, =(e)s, =e, animal

die **Tierspur**, =en, animal-track

der **Tisch**, =(e)s, =e, table; nach —,
    after dinner; bei —, at the table;
    — und Lager anbieten, to offer
    board and lodging

das **Tischtuch**, =(e)s, =er, table-
    cloth

der **Tod**, =(e)s, =e or Todesfälle, death

der **Todesfall**, =(e)s, =e, death

todesmüde, dead tired

Tolstoi, Count Leo Nikolaievitch Tolstoy, *celebrated Russian novelist and moral philosopher. At least two of his novels,* War and Peace *and* Anna Karenina, *have become world classics. His moral and religious views are set forth in* My Confession. *The doctrine of non-resistance forms the foundation of his creed. The aim of man is to achieve happiness, which can be done only by doing right, by loving all men and by freeing oneself from the appetites of greed, lust and anger. All forms of violence are equally wicked. True Christians must abstain from participating in war*

der **Ton**, =(e)s, =e, sound, tone; fashion

tönen, to sound

das **Tor**, =(e)s, =e, door, gate

die **Toreinfahrt**, =en, gateway

töricht, foolish

tot, dead

der (die) **Tote**, =n, =n, dead person

tot=schlagen*, to kill; schlag doch einmal die paar nächsten Leute tot, just try to kill the first few people

der **Tourist'**, =en, =en, tourist

der **Trab**, =(e)s, =e, trot; im —e heimwärts laufen, to trot homeward

tragen (ä), u, a, to bear, carry; to wear, have

die **Träne**, =n, tear

die **Trauer**, =, grief, sadness

trauern, to mourn

der **Traum**, =(e)s, =e, dream

träumen, to dream

träumerisch, dreamy

die **Traurigkeit**, =en, sadness

treffen (i), traf, o, to meet

trennen, to separate

die **Treppe**, =n, stairs; die — hinunter, downstairs

treten (tritt), a, e (f. when intrans.), to step, come, enter

der **Trieb**, =(e)s, =e, impulse

der **Triller**, =s, =, trill

trinken, a, u, to drink

die **Trinkerei**, =en, carousal

trocken, dry; — sitzen, to be under cover; to be neglected

der **Trockenschuppen**, =s, =, drying-shed

der **Trost**, =(e)s, consolation, comfort

trostlos, disconsolate

trotz (w. gen. or dat.), in spite of, despite, notwithstanding

der **Trotz**, =es, defiance; seinen Reden zum —, in spite of his words

trotzdem, although, in spite of

trüb, dull, gloomy

der **Trugschluß**, Trugschlusses, Trugschlüsse, false conclusion

das **Tuch**, =(e)s, =e or Tucharten, cloth

die **Tugend**, =en, virtue

tun (tut), tat, getan, to do; to act; tut nichts, that doesn't matter, never mind; das tut mir leid, I am sorry; es täte Ihnen gut, it would do you good; es war ihm wenig mehr ums Leben zu —, he did not worry much about his life any more die **Tür**, =en, door; unter der —, in the doorway

das **Turnen**, =s, gymnastics

die **Turnhalle**, =n, gymnasium

U

übel, bad

übel=nehmen*, to feel offended; Ihr müßt mir's auch nicht —, please don't be offended

üben, to practice

über, above, over, across; about, concerning

überall, everywhere, all over

überbrücken, to bridge over

überdauern, to outlast

überflüssig, superfluous

über=gehen* (s.), to go over

überhaupt, at all; above all; anyway

über=laufen* (s.), to run over, overflow; daß den Mädchen die Augen übergelaufen sind, that the girls' eyes overflowed with tears

überlaut, noisy

überlegen, to consider; vielleicht überlegt Ihr's Euch noch, perhaps you will still think it over

übermorgen, the day after tomorrow

übermütig, merry, gay

überschauen, to overlook

überwunden, defeated; resigned

übrig, over, remaining; left over; als habe sie keine Minute —, as if she had not a minute to spare

übrigens, besides, moreover; however

die **Uhr**, =en, watch, clock; zehn —, ten o'clock

um, around, at; about; for; — zu, in order to; — ... willen, for the sake of; ein Freudenfeuer — das andere, one joyous impulse after another

um=gehen* (s.), to associate; — mit, to handle; so dürft ihr nicht mit eurem Geldlein —, you must not be so free with your money

umgekehrt, the opposite

umgelitzt, turned up

um=kehren (s.), to return, turn back or around

der **Umkreis**, Umkreises, Umkreise, circle, neighborhood

sich **um=schauen**, to look around

sich **um=sehen***, to look around

der **Umweg**, =(e)s, =e, detour

umwölkt, surrounded

unaufhörlich, incessant

unbeirrt, without being disconcerted, calm

unbekannt, unknown

unbemerkt, unnoticed

undankbar, ungrateful

undeutlich, indistinct, confused

unendlich, exceedingly, very

unermüdet, unwearied

unerschöpflich, inexhaustible

unerwachsen, immature, young

unerwartet, unexpected

ungefärbt, undyed

ungehindert, without difficulty

ungeraten, spoiled

der **Ungerechte**, =n, =n, unrighteous man

ungern, regretfully

ungeschickt, awkward

ungewohnt, unusual

unglücklich, unhappy

ungut: nichts für —, no offense, no harm meant!

die Unheimlichkeit, =en, uneasiness

unhörbar, imperceptible, noiseless

unmutig, displeased, annoyed

unrecht, wrong

unruhig, restless

unsauber, unclean

unschuldig, innocent; pure

unsereins, people like us

unsicher, uncertain

unten, below, beneath

unter, under, below, beneath; among; — ihm weg, down below him; — der Tür, in the doorway

unterbrechen*, to interrupt

unterdessen, in the meanwhile

sich unterhalten*, to entertain oneself

unterhaltsam, entertaining, amusing

die Unterhaltung, =en, conversation

das Unterkommen, =s, =, shelter, lodging

unterrichten, to instruct, teach

unterscheiden, ie, ie, to distinguish

der Unterschlupf, =(e)s, =e, shelter

unter=sinken (s.), a, u, to go down

untersuchen, to examine

die Untersuchung, =en, investigation

unterwegs, on the way

die Unterweisung, =en, instruction

unüberlegt, thoughtless

unverborgen, unconcealed

unvernünftig, unreasonable

unversehens, unexpectedly

unverwandt, unmoved; aber mit —en Blicken an ihm hingen, but kept their eyes steadfastly fixed on him

unwesentlich, immaterial

unwissend, not knowing

unzerstörbar, indestructible

unzulänglich, insufficient, inadequate

üppig, sumptuous

B

der Bagabund', =en, =en, vagabond

väterlich, paternal

Benedig, Venice, famous seaport of north-eastern Italy, situated on the Adriatic Sea

verachten, to despise

verändern, to change

sich verantworten, to vindicate oneself

verbergen (i), a, o, to hide

verbinden*, to unite, join

verblassen (s.), to lose color, fade

verborgen, hidden, concealed

verbrauchen, to use up

verbrennen*, to burn up

verbunden, united; sie seien noch so eng —, however closely united they might be

verdämmern, to be in a dreamy or somnolescent state

verderben (i), a, o, to spoil

verdienen, to earn; to deserve

das Verdienst, =(e)s, =e, merit

die Verdingung, =en, hiring

verdorren (s.), to dry up

verdrossen, cross, peevish

verfallen, ruined (physically)

verfehlt, unsuccessful

die Verfügung, =en, disposition; — über, disposition of

die **Vergangenheit**, -en, past
vergebens, in vain
vergeblich, in vain
vergehen* (f.), to go; to pass; daß
mir Hören und Sehen verging,
that I was quite stunned
vergessen (vergißt), vergaß, e, to
forget
vergeßlich, forgetful
die **Vergeßlichkeit**, -en, forgetful-
ness; in der —, in my forget-
fulness
verglimmen, o, o (f.), to die out
gradually, become slowly ex-
tinguished
verglühen (f.), to die out gradually
das **Vergnügen**, -s, -, pleasure
vergnügt, happy, cheerful
vergrast, covered with grass
das **Verhältnis**, -nisses, -nisse, re-
lation
verharren, to remain
verheiraten, to marry
das **Verhör**, -(e)s, -e, examination;
ins — ziehen, to interrogate,
cross-examine
sich **verkriechen**, o, o, to crawl
away; in das Bettzeug —, to
creep into the bedding
verlangen, to demand; — nach,
to ask for
verlassen*, to leave; sich — auf,
to depend upon; verlaß dich
drauf, trust me for that; —
(*past part.*), deserted, forsaken
verlegen, embarrassed
die **Verlegenheit**, -en, embarrass-
ment; da könnten Sie mich leicht
in — bringen, you could easily
embarrass me

verleiden, to spoil; war es dir
verleidet? had you taken a dis-
like to it?
sich **verlieben** (in), to fall in love
(with); in die wurde ich verliebt,
I fell in love with her
das **Verlieben**, -s, falling in love
die **Verliebtheit**, -en, amorousness
verlieren, o, o, to lose; der ver-
lorene Sohn, the prodigal son;
sich —, to lose oneself; to disappear; und verloren sich bald
in den weiten Lüften, and soon
died away in the distance
verlogen, untruthful
verlohnen, to be worth while
vermischen, to mix
vermissen, to miss
vermodert, moldered, rotten
vermögen*, to be able to
vermuten, to presume, suppose
vermutlich, probable, presumable
vernünftig, reasonable
verödet, deserted
verpfuschen, to bungle
verrichten, to do, perform
der **Vers**, Verses, Verse, verse,
stanza
versäumen, to miss
verschieben, o, o, to postpone
verschlafen, sleepy
verschleiert, veiled
verschließen*, to lock, shut, close;
an dessen schon verschlossener
Haustür er anklopfte, he rapped
at his door, which was already
locked
verschweigen*, to pass over in
silence
verschwenden, to waste
verschwinden, a, u (f.), to disappear

versehen*, to furnish, provide

versetzen, to change the place of

versichern, to assure

versinken, a, u (s.), to sink; versank in Gedanken, lost himself in thought

versorgen, to provide for; to place; versorgte den Schlüssel sorgfältig am alten Platz, he put the key carefully in the old place

verspotten, to ridicule; und dich — lassen, and let yourself be ridiculed

versprechen*, to promise

die Versprechung, -en, promise

der Verstand, -(e)s, mind, intellect

das Versteck, -(e)s, -e, hiding-place

verstecken, to hide; Verstecken spielen, to play hide-and-seek

verstehen*, to understand

versterben* (s.), to die

verstohlen, secret

das Verstummen, -s, silence

der Versuch, -(e)s, -e, attempt

versuchen, to try

vertragen*, to stand, endure

vertraulich, intimate

die Vertrautheit, -en, intimacy

vertreiben, ie, ie, to drive away, expel

verwahrlost, neglected

verwegen, bold, daring

verweilen, to stay

verwesen (s.), to decay, molder

verwirren, to confuse, bewilder

verwirrt, confused, perplexed

verwöhnen, to spoil; sich —, to get spoiled

verwundert, surprised

verzeihen, ie, ie, to excuse, forgive

verziehen*, to twist; der Landstreicher verzog das Gesicht, the tramp made a wry face

verzweifelt, desperate

der Viehmarkt, -(e)s, -e, cattle or stock market

vielerlei, many; da gibt es —, there are many things

vielfältig, manifold

vielleicht, perhaps; — doch, but you can't tell

die Viertelstunde, -n, quarter of an hour

der Vierziger, -s, -, a man in the forties

vogelartig, birdlike

die Vogelfalle, -n, bird-trap or snare

das Volkslied, -(e)s, -er, folk song

die Volksschule, -n, elementary school

die Volksschulstube, -n, room of an elementary school

der Vollbart, -(e)s, -e, (full) beard

vollends, completely, entirely

voller, full of; es war schon — Tag, it was already broad day-light

völlig, complete; clear

vollkommen, perfect

voll-schenken, to fill

vor, before, in front of; because of; — sechs Jahren, six years ago

voraus-gehen* (s.), (w. dat.), to go ahead

vorbei, over

vorbei-gehen* (s.), to pass; im Vorbeigehen, in passing

vorbei-laufen* (s.), to run past

sich vor-beugen, to bend forward

das Vorderrad, -(e)s, -er, front wheel

vor=dringen, a, u (f.), to advance
vorerst, at first
vor=fahren* (f.), to drive up to; kam der Knecht des Schulzen mit dem Wagen vorgefahren, the farm servant of the village mayor came driving up (to the door)
der **Vorfrühling**, =s, =e, early spring
vor=gehen* (f.; *impers.*), to take place
vorgestreckt, stretched forward
vorhanden (sein), (to be) there
vorig, last
vor=kommen* (f.), (*w. dat.*), to appear, seem
vor=lesen* (*w. dat.*), to read aloud to (some one)
vor=machen, to show
vormittags, in the forenoon
vorn, in front
der **Vorname(n)**, =ns,=n, first name, Christian name
sich (*dat.*) **vor=nehmen***, to intend, decide
vor=pfeifen* (*w. dat.*), to whistle to
vor=schlagen*, to propose
vorsichtig, careful, cautious
vor=spielen, to play; to deceive; spiel' mir doch nichts vor, don't try to fool me
die **Vorstadt**, =e, suburb
vor=stellen, to represent
vor=treten* (f.), to come forth, step forward
vorüber, gone by; der schon — war, who had gone by already
vorübergehend, passing
vorüber=kommen* (an) (f.), to pass by

vorüber=schreiten* (f.), to pass, step past
vorwärts, forward, ahead

W

wach, awake
wach=machen, to awaken
wach=sam, watchful, alert
wachsen (ä), wuchs, a (f.), to grow
das **Wachsfutteral'**, =s, =e, oil-cloth case
das **Wachstuchmäpplein**, =s, =, little portfolio made of oil-cloth
wagen, to dare
der **Wagen**, =s, =, wagon; cart; carriage
wahr, true; viel Wahres, much that is true
während (*w. gen.*), during, while
wahrhaftig, really, indeed
die **Wahrheit**, =en, truth
wahr=nehmen*, to notice, observe
wahrscheinlich, probable, likely
der **Wald**, =(e)s, =er, forest, wood
der **Waldarbeiter**, =s, =, forest-worker, woodman
die **Waldecke**, =n, corner of the forest
der **Wald(es)rand**, =(e)s, =er, edge of a forest
walzen (f.), to march (*slang in the language of the tramp*)
der **Walzer**, =s, =, waltz
die **Wand**, =e, wall
die **Wanderbeschwerde**, =n, hardship connected with wandering
das **Wanderbüchlein**, =s, =, journeyman's record book
der **Wanderer**, =s, =, wanderer, traveler (on foot)

das **Wanderjahr**, -(e)s, -e, year of wandering

wandern (f.), to travel (on foot)

die **Wanderschaft**, wandering; immer noch auf —? still wandering about?

der **Wandertag**, -(e)s, -e, day of wandering *or* traveling

die **Wanderung**, -en, traveling, tour

die **Wange**, -n, cheek

die **Wärme**, warmth

warten, to wait; — auf, to wait for

warum, why; — nicht gar! you don't say so! — auch? why should I?

was, what, whatever; ach —, pshaw; zu — denn auch, for what purpose, I wonder; — für (ein), what sort of; — haft du für ein Gedächtnis! what a memory you have! — = etwas, something; Sie haben — Schönes verdient, you have earned nice money

waschen (ä), u, a, to wash; die Hände habe ich mir gewaschen, I washed my hands

der **Wasserkrug**, -(e)s, -e, water-pitcher

die **Wasserrinne**, -n, water-channel

wechselnd, changing

wecken, to awaken

der **Wecken**, -s, -, roll, small loaf of fine bread

weder ... noch, neither ... nor

weg, away; — sein, to be gone; unter ihm —, down below him

der **Weg**, -(e)s, -e, way; road; course; machte mich auf den —,

set out; den ganzen —, all the way

wegen (*w. gen.*), on account of, because of; — deffen, on account of that

weg-gehen* (f.), to go away

weggestreckt, stretched out

weg-jagen, to expel

weg-rasseln (f.), to rattle away

weg-stellen, to put away

sich **weg-werfen***, to throw oneself away

das **Wehr**, -(e)s, -e, weir, dike

sich **wehren**, to object; to resist

weh-tun*, to hurt

weiben, to woo, court; — gehen, to go courting

weich, soft

weichen, i, i (f.), to yield; die Freude wich von mir, the joy left me

weil, because

die **Weile**, while, time; eine ganze —, for quite a while

der **Weiler**, -s, -, hamlet

der **Wein**, -(e)s, -e, wine; ich setzte mich zu einem stillen —, I sat down to drink a glass of wine in quiet

weinen, to cry; als wäre er nahe am Weinen, as if he were near crying

die **Weinerlichkeit**, whining *or* crying tone

die **Weisheit**, -en, wisdom; philosophy, view

weis-machen, to make believe; das mußt du einem andern —, tell that story to someone else

der **Weißgerber**, -s, -, tanner

weit, wide, far; much; off, distant; damit ist es nicht so — her, they

do not amount to much; mir
fehlt —er nichts, nothing ails
me at all

weiter, farther, further; im —en,
after a while; jetzt muß ich —,
now I must go

weiter=blättern, to turn over the
pages; ein Stück —, to turn over
a few pages

weiter=fahren* (f.), to drive on; im
Weiterfahren, while driving on

weiter=gehen* (f.), to proceed,
continue, go on

weiterhin, further off

weiter=klopfen, to go on beating

weiter=pfeifen*, to go on whist-
ling

weiter=reden, to go on talking

das Weitersteigen, =s, climbing;
zum —, to continue ascending

welt, faded

welken (f.), to wither, fade (away)

weltmännisch, gentlemanly

(sich) wenden, wandte (wendete),
gewandt (gewendet), to turn;
sich — an, to turn toward

wenig, little; few; ein —, a little;
recht —, very little

wenigstens, at least

wenn, when, whenever, if; —
auch, even though, although

werden (wird), wurde or ward,
geworden (f.), to become, get,
grow; *aux. of fut.*, shall, will;
aux. of passive, to be

werfen (i), a, o, to throw; einen
Blick — (auf), to glance (at)

die Werkstatt, =en or Werkstätte, =n,
workshop

das Werkstattfenster, =s, =, workshop window

wert, worth; dear; Ihr —es Wohl,
to your well-being

der Wert, =(e)s, =e, value

das Wesen, =s, =, nature, character

die Weste, =n, vest

der Westwind, =(e)s, =e, west wind

die Wette, =n, bet, wager; ich
möchte fast eine — machen, I
should almost like to bet

das Wetter, =s, weather, das —
bleibt nimmer lang, the weather
is not going to remain like this

die Wichse, =n, (shoe) polish

das Wichszeug, =(e)s, =e, materials
for shining (shoes)

wichtig, important; mit dem Tanzen wirst du's nimmer — haben,
dancing will not be so urgent
with you

die Wichtigkeit, =en, importance

wider, against

wider=spiegeln, to reflect

widersprechen*, to contradict; to
oppose

der Widerspruch, =(e)s, =e, con-
tradiction

wie, as, as if, like; how

wieder, again; — einmal, once
more; auch —, again

wieder=finden*, to find again

wieder=geben*, to give back, return

wieder=kommen* (f.), to come
back, return

wieder=kriegen, to get back

wieder=nehmen*, to take back

wieder=sehen*, to see again

wiegen, to move gently

der Wille(n), =ns, =n, intention,
will; will power; der — zum
Schlafen, the desire to sleep

Vocabulary 161

willen: um ... — (*w. gen.*), for the sake of

willig, ready; willingly

die Wimper, -n, eye-lash

winden, to blow

der Windhauch, -(e)s, -e, breath of wind

windstill, calm

der Wink, -e(s), -e, hint; **einen —
geben,** to drop a hint

der Winter, -s, -, winter

der Win'terpanto'ffel, -s, -, winter slipper

wirklich, really

der Wirt, -(e)s, -e, restaurant *or* inn keeper

die Wirtin, -nen, hostess

wirtschaften, to work

der Wirtsgarten, -s, -, tavern garden

wissen (**weiß,** *pr. subj.* **wisse**), **wußte**
(*past subj.* **wüßte**), **gewußt,** to know (how to), understand; **weißt du's nimmer?** don't you know it any more? **weißt du noch,** do you still remember; **wußte ich gewiß,** I knew for certain; **ich wußte nichts dazu zu sagen,** I had nothing to say to it

der Witz, -es, -e, joke

wobei, whereby

das Wochenblatt, -(e)s, -er, weekly paper

woher, whence, from what place

wohin, whither, to what place

wohinaus? to what place (are you going)?

wohl, well; perhaps, probably; indeed, to be sure; **—, —,** aye, aye; **das —,** that may be right;

mir war —, I was happy, I was feeling fine

das Wohl, -(e)s, welfare, well-being; **zum —,** to your health

wohlbehalten, well preserved

wohlbekannt, well-known

wohlfeil, cheap

Wohlgeboren: für Herrn Doktor Machold, —, for Doctor Machold, Esq.

das Wohlgefallen, -s, affection

das Wohlgefühl, -(e)s, -e, pleasant feeling, thrill

wohl-tun (*w. dat.*)*, to do good

die Wohnstube, -n, living-room; **an die heimatliche — zu denken,** to think of home

der Wolfsberg, -(e)s, Wolf Hill, *an apparently fictitious name for a hill in the Black Forest*

die Wolke, -n, cloud

die Wolldecke, -n, woolen cover

wollen (**will**), **wollte, gewollt,** to want to, wish; to be about to; **er mochte — oder nicht,** whether he liked it or not; **wo willst du denn hin damit,** where do you want to go with it; **will mir scheinen,** as it seems to me

die Wollendecke, -n, woolen cover

womit, wherewith, with what

woran, of what

worauf, upon what

worin, in what

das Wort, -(e)s, -e *or* **-er,** word; **ihr das — abschneiden,** to cut her off short

worüber, over *or* concerning which, about what

wovon, of what *or* which

wozu, to what, on what

wunderbar, wonderful; strange

wunderlich, strange, curious

das Wunderliche, =n, curious or strange thing; viel —s, many curious things

sich wundern, to wonder, be surprised

wundersam, wonderful

der Wunsch, =es, =e, desire, wish

wünschen, to wish

würdig, worthy

die Wurst, =e, sausage

die Wurzel, =n, root

wüst, wild, disorderly

Z

zaghaft, shy, timid

zäh(e), tough; tenacious

zahlen, to pay

zähmen, to tame

der Zahn, =(e)s, =e, tooth

zart, delicate, sensitive; nice; soft; sie hat doch mehr Zartes und Schönes von dir empfangen als Böses, she has nevertheless received more that was loving and beautiful from you than bad

zartblau, pale-blue

zärtlich, loving

der Zauber, =s, =, charm

zaubervoll, enchanting, charming

der Zaun, =(e)s, =e, fence, hedge

der Zaungast, =es, =e, one who looks over the hedge or looks on without paying

der Zaunpfahl, =(e)s, =e, fence-pole

die Zehe, =n, toe

der Zehner, =s, =, coin of 10 pfennigs, equal to about 2½ cents

das Zeichen, =s, =, sign, token

der Zeigefinger, =s, =, forefinger, index finger

zeigen, to show; das wird sich ja —, we shall soon find out, to be sure; ließ sich die ganze Gerberei —, made him show him the whole tannery

die Zeile, =n, line

die Zeit, =en, time; hat's nicht auch —, can't you wait; auf lange —, for a long time ahead; eine kleine —, a short time; eine —lang, for a time; vor —en, in olden times, formerly; zur —, in time; da wird's —, then it will be about time; was ist es denn auch für —, what time is it, anyway?

zeitig, early

die Zeitung, =en, newspaper

zerfallen* (f.), to fall to pieces

zerstreut, distracted; — sein, to be absent-minded

das Zeug, =(e)s, =e, stuff

ziehen, zog, gezogen, to draw, pull; er zog den Hut, he raised his hat

die Ziehharmonika, =s or Ziehharmoniken, accordion

das Ziel, =(e)s, =e, goal, aim; point

ziellos, aimless

ziemlich, rather, pretty well

zierlich, pretty, elegant

die Zigaret'te, =n, cigarette

die Zigar're, =n, cigar

zinnern, (of) tin or pewter

der Zinnteller, =s, =, tin plate

zittern, to tremble, shake

zog see ziehen

zögern, to hesitate

der Zopf, =(e)s, =e, plait or braid of hair

der Zottelbär, =en, =en, shaggy bear

zu=blinzeln, to wink at

zu=bringen* (w. dat.), to spend

zucken, to start; to thrill; to move with a quick motion; die Achseln —, to shrug one's shoulders

zudringlich, forward, obtrusive

zueinander, to one another, together

der Zufall, =(e)s, =e, (casual) event, accident

zufällig, accidental

zufrieden, content, satisfied

der Zug, =(e)s, =e, current, draught, breath

zugänglich, accessible

zu=geben*, to admit; to agree; to allow

zu=gehen* (ſ.; impers.), to happen, take place; es ging still und anständig zu, they behaved quietly and respectably

der Zügel, =s, =, rein

zu=greifen*, (ſ.), to help oneself to; greif' zu! don't wait to be asked

der Zugwind, =(e)s, =e, draught

das Zuhauſeſein, =s, being at home

zu=hören (w. dat.), to listen (to)

der Zuhörer, =s, =, listener

zu=knöpfen, to button up

zulieb(e), for the love of

zumute: — ſein (w. dat.), to feel; mir war herzlich wohl —, I felt exceedingly well

zunächſt, first

zu=nehmen*, to increase

das Zungenſchnalzen, =s, smacking with the tongue

zurecht=kommen* (ſ.), to get on

zurecht=machen, to prepare

zu=reden (w. dat.), to advise, urge

zu=richten, to prepare; to make up

zürnen (w. dat.), to be irritated; du darfſt mir's nicht zürnen, you must not be angry with me or take it amiss

zurück=geben*, to give back

zurück=halten*, to hold back, stop

zurück=kehren (ſ.), to return

zurück=kommen* (ſ.), to come back, return

zurück=laufen* (ſ.), to run back

zurück=nicken, to nod back

zurück=sehen*, to look back

zurück=ſinken, a, u (ſ.), to sink back

zurück=ſtellen, to put back

zurück=ſtoßen (ö), ie, o, to thrust back

zurück=ſtreben, to struggle back

zurück=treten* (ſ.), to step back

ſich zurück=wenden*, to turn back

zurück=ziehen*, to draw back

zu=rufen*, to call to; und ſich (dat.) von denen, die ihn kannten, mitleidige Späße — laſſen, and have those who knew him call sympathetic jests to him

zuſammen, together

zuſammen=ſtreichen*, to rake together

zuſammengepreßt, pressed together; tightly closed

zuſammen=kommen* (ſ.), to come together

zuſammen=halten*, to hold together

das Zuſammenleben, =s, living together; companionship

zuſammen=nehmen*, to take together; ſich —, to summon up all one's strength, pluck up courage

zuſammen-träumen, to dream together

ſich zuſammen-ziehen*, to draw together; to gather

zu-ſchauen (*w. dat.*), to watch

das Zuſchauen, -s, looking on

der Zuſchauer, -s, -, spectator, witness

zu-ſchreiben* (*w. dat.*), to attribute (to)

zu-ſehen* (*w. dat.*), to look at, watch

zu-ſprechen* (*w. dat.*), to address, accost

zu-ſtecken (*w. dat.*), to slip into a person's hand

zu-trauen, to trust; **dem ich zuge-traut hätte,** whom I should have believed capable

zuvor, before

zuweilen, now and then, from time to time.

zu-wenden* (*w. dat.*), to turn toward

zuwider (*w. dat.*), contrary to, against; **weil ihm mein geſtriges**

Trinken — war, because he greatly disliked my drinking of yesterday

zu-ziehen*, to close; **zog ſie hinter ſich zu,** closed it behind him

der Zwanziger, -s, -, *coin of 20 pfennigs, equal to about 5 cents.*

zwar, it is true, I admit; indeed, to be sure

die Zwecklosigkeit, uselessness

der Zweifel, -s, -, doubt; **aus —** an meiner Geſellſchaft, out of doubt in (the value of) my company

zweifelnd, doubting

der Zweig, -(e)s, -e, branch

die Zwiebel, -n, onion; **ordentlich —n dran, gelt,** plenty of onions with it, don't you think

das Zwielicht, -(e)s, twilight

zwingen, a, u, to compel, force

der Zwirn, (e)s, -e, thread

zwiſchen, between

zwölfjährig, twelve years (old)

der Zylin'der, -s, -, (lamp) chimney

THE OXFORD LIBRARY OF GERMAN TEXTS

General Editor
EDUARD PROKOSCH, Ph. D.
Sterling Professor of Germanic Languages, Yale University

GERMAN ELEMENTARY GRAMMAR
MAX DIEZ, Ph. D.
Associate Professor of German Literature, Bryn Mawr College

GERMAN REFERENCE GRAMMAR
EDUARD PROKOSCH, Ph. D.
Sterling Professor of Germanic Languages, Yale University

INTRODUCTION TO COMMERCIAL GERMAN
KURT RICHTER, Ph. D.
Late Assistant Professor of German, College of the City of New York
and
HENRY W. NORDMEYER, Ph. D.
Professor of German, New York University

Max Eyth, DER BLINDE PASSAGIER
CLAIR HAYDEN BELL, Ph. D.
Associate Professor of German, University of California

Hermann Stehr, DER GEIGENMACHER
WALTER REICHART
Assistant Professor of German, University of Michigan

GERMAN DRAMAS RETOLD
ERICH HOFACKER, Ph. D.
Assistant Professor of German, Washington University

Hermann Hesse, KNULP
WILLIAM DIAMOND and CHRISTEL B. SCHOMAKER
University of California at Los Angeles

Fritz von Unruh, PRINZ LOUIS FERDINAND
KURT REINHARDT, Ph. D.
Assistant Professor of German, Stanford University

SELECTIONS FROM EMIL LUDWIG
MAX GRIEBSCH
Professor of German, University of Wisconsin
Director of German-American Teachers' Seminary

Keller's LEGENDEN
HUGH W. PUCKETT, Ph. D.
Assistant Professor of German, Barnard College

SELECTIONS FROM GOETHE'S PROSE
ADOLF BUSSE, Ph. D.
Professor and Head of the Department of German Language and
Literature, Hunter College

GOETHE'S GREATEST LYRICS in German and English
FRIEDRICH BRUNS, Ph. D.
Professor of German, University of Wisconsin
Edited for the Goethe-Society of America